PIERRE-ANDRÉ TAGUIEFF

L'imaginaire du complot mondial

Aspects d'un mythe moderne

Couverture de
Olivier Fontvieille

ÉDITIONS MILLE ET UNE NUITS

PIERRE-ANDRÉ TAGUIEFF
Petit Libre n° 63

Inédit

À Norman Cohn et Léon Poliakov
in memoriam

Notre adresse Internet : www.1001nuits.com

ISBN : 978-2-84205-980-4

Introduction

L'idée d'un livre court, exposant le plus clairement possible les résultats de recherches conduites depuis plusieurs années sur les différents aspects de ce mythe politique moderne qu'est le mythe du complot mondial, m'est venue au cours des nombreuses conférences prononcées à la suite de la publication de trois de mes récents ouvrages : *Les Protocoles des Sages de Sion. Faux et usages d'un faux* (nouvelle édition refondue), *Prêcheurs de haine. Traversée de la judéophobie planétaire* et *La Foire aux Illuminés. Ésotérisme, théorie du complot, extrémisme*[1]. Il m'est apparu que ces gros ouvrages, allant de 500 à 1000 pages, appelaient une réflexion d'ensemble, plus ramassée, présentant d'une façon synthétique les grandes lignes de mes recherches et mes principales conclusions. Rédigé à l'occasion de communications faites lors de colloques ou de séminaires, ou de conférences-débats, le présent ouvrage se veut donc à la fois une introduction, un abrégé et un bilan provisoire.

1. Taguieff, 2004a, 2004b et 2005.

En décembre 2005, j'ai prononcé une série de conférences sur le thème : « Judéophobie moderne et mythe du complot mondial : origines et développements contemporains », dans le cadre de l'Institut universitaire d'études juives Elie-Wiesel[1]. Ces conférences étaient destinées à présenter quelques-unes des analyses et des conclusions provisoires auxquelles m'ont conduit mes recherches sur les multiples aspects de la judéophobie, abordée principalement dans la période moderne, et plus précisément depuis l'époque des Lumières. Parmi ces différents aspects, j'en suis arrivé à privilégier, au cours des années 1990[2], l'étude de la mythologie du complot juif mondial, dans le cadre d'un travail plus vaste sur les mythes politiques modernes, dans lesquels on ne cesse de rencontrer le schème de la conspiration universelle. Certes, dans ce qu'on appelle « l'histoire de l'antisémitisme moderne », le phénomène le plus frappant, vu de loin, est la racialisation progressive du discours antijuif à travers la construction du Juif comme « Sémite » ou représentant typique de la « race sémitique », dont témoigne la formation du néologisme « antisémitisme » (*Antisemitismus*, 1879) par le publiciste allemand Wilhelm Marr[3]. On sait que, dès le début des années 1880, en langue française tout comme dans sa langue d'origine,

1. Conférences prononcées les 1er, 8 et 15 décembre 2005, à Paris. Texte remanié et actualisé en mai-juin 2006.
2. Dès mon travail sur les origines et les usages des *Protocoles des Sages de Sion* (Taguieff, 1992), commencé en 1989, j'ai entrepris d'explorer systématiquement l'espace des visions conspirationnistes modernes.
3. Zimmermann, 1986.

le mot « antisémitisme » s'est imposé dans le vocabulaire descriptif, pour désigner n'importe quelle forme historique de « haine des Juifs » (*Judenhass*)[1]. D'où la tendance, typique de l'anachronisme en histoire, à projeter sur les formes passées de la judéophobie les caractéristiques du racisme antijuif moderne, celles donc de la judéophobie à base raciale (« antisémitisme »). Mais la reformulation pseudo-scientifique, en tant qu'« antisémitisme », de la vieille haine des Juifs n'a nullement fait disparaître les structures élémentaires de l'imaginaire antijuif, celles qui se sont constituées depuis ses premières strates historiques (la judéophobie antique, l'antijudaïsme médiéval, etc.) jusqu'à ses ultimes métamorphoses (l'antisionisme, dans ses formes radicales). Dans ce domaine, celui de « la haine la plus longue[2] », les stéréotypes négatifs ne disparaissent pas, ils s'accumulent et se métamorphosent, prenant la couleur des idées reçues en chaque nouveau contexte historique. La légitimation scientiste des passions antijuives, du dernier tiers du XIXe siècle au milieu du XXe, par la « théorie des races » (fondée sur l'opposition « Sémites/Aryens ») n'aura constitué qu'un épisode dans la longue histoire des formes de judéophobie[3]. La dimension mythique, celle d'un récit plus ou moins délirant et malveillant sur les Juifs, leur nature et leur histoire, n'a cessé de caractériser la judéophobie, jusque dans ses prétendues reformu-

1. Bein, 1980.
2. Wistrich, 1991.
3. Taguieff, 2002a et b.

lations « scientifiques » à partir des années 1870/1880 en Europe[1].

Dans le présent ouvrage, je me propose tout d'abord de caractériser la vague complotiste contemporaine, qui constitue l'un des objets privilégiés de mon livre paru en novembre 2005 : *La Foire aux Illuminés*[2], en la situant dans son contexte politico-culturel, ensuite de soumettre à un examen critique les différentes approches du mythe moderne du complot et plus précisément du « mégacomplot » (le complot d'extension mondiale ou à visée planétaire), pour en identifier les traits principaux et les multiples origines (le complot jésuite, le complot maçonnique, le complot jacobin, le complot contre-révolutionnaire, etc.), enfin de revenir sur le rôle joué par le best-seller planétaire les *Protocoles des Sages de Sion* dans la diffusion et le renforcement du mythe du complot juif mondial, du début du XXe siècle au commencement du XXIe[3]. Ma thèse est qu'on a affaire à un récit de facture mythique qui, doté d'une fonction cognitive (expliquer, justifier) et de différentes fonctions pratiques (mobiliser), est capable de se métamorphoser en s'adaptant à des contextes variables. Fabriqué pour dénoncer le grand complot « judéo-maçonnique », il fonctionne aujourd'hui, plus d'un siècle après sa première

---

1. Poliakov, 1977.
2. Il va de soi que je puiserai librement des matériaux dans cette vaste étude (Taguieff, 2005), comme dans certains de mes autres ouvrages récents (Taguieff, 2004a et b).
3. Sur les origines et les usages de ce faux, voir Taguieff, 2004a, 2004b, pp. 617-817 et 2005, pp. 172 *sq.*, 249 *sq.*

publication (1903), comme moyen privilégié de dénoncer le grand complot « américano-sioniste », incarnant le mauvais Occident dans l'esprit des nouveaux ennemis de ce dernier. Le mythe du complot mondial s'est en effet reformulé autour de la diabolisation de l'Occident, accusé d'être coupable des malheurs de tous les peuples. C'est désormais à l'Occident judéo-chrétien, ou plus précisément à ses dirigeants occultes, qu'est attribué le complot mondial.

Aborder le mythe politique moderne qu'est le « complot juif mondial », c'est prendre pour objet le cœur de la configuration antijuive moderne, le principe moteur de ce que Norman Cohn appelait « l'antisémitisme exterminateur », et qui constitue tout autant, sous de nouveaux habits discursifs, le noyau de l'antisionisme radical contemporain. La pensée du complot présente certaines analogies avec la pensée mythique : comme celle-ci, elle peuple le monde d'intentions bonnes et mauvaises, de démons et de dieux, elle « investit l'univers objectif de volontés subjectives »[1], imaginant ainsi expliquer l'origine et la persistance du mal. Mais le contexte moderne dans lequel se sont formés les grands récits conspirationnistes, celui de la sécularisation commençante, leur a imposé certaines caractéristiques (l'idée de l'universalité du complot ou l'importance des processus d'influence dans les actions de propagande) et certains types de fonctionnement (le recours à des modes de légitimation « scientistes » : pseudo-découvertes d'archives, déchiffrage de codes secrets, etc.). Les visions

1. Furet, 1978, p. 44.

conspirationnistes modernes présentent chacune des spécificités, de forme et de contenu. Le mythe du complot juif mondial, par exemple, est un mythe politique moderne dont l'une des particularités est d'avoir été fabriqué avec des matériaux symboliques empruntés à l'antijudaïsme et à l'antisatanisme médiévaux[1]. On peut suivre Norman Cohn dans sa caractérisation de « l'antisémitisme exterminateur[2] » par l'attribution aux Juifs d'une conspiration mondiale de type satanique :

> « L'antisémitisme le plus virulent [*the deadliest form of antisemitism*], celui qui aboutit à des massacres et à la tentative de génocide [...], a pour noyau la croyance que les Juifs – tous les Juifs, et partout – sont partie intégrante d'une conspiration décidée à ruiner puis à dominer le reste de l'humanité. Et cette croyance est simplement une version modernisée et laïcisée des représentations populaires médiévales, d'après lesquelles les Juifs étaient une ligue de sorciers employée par Satan à la ruine spirituelle et physique de la Chrétienté.[3] »

Ce modèle interprétatif, fondé sur l'hypothèse sociologique de la sécularisation des croyances religieuses et des notions théologiques, fait intervenir, dans les motivations fondamentales des judéophobes les plus fanatiques, la « peur paranoïaque d'une conspiration ou d'un complot juif mondial »[4]. Le

1. Cohn, 1967, pp. 25-29, 248-265. Après Cohn, Poliakov (1980, p. 36) insistait justement sur le « rôle moteur des obsessions démonologiques ».
2. Cohn, 1967, p. 249.
3. Cohn, 1967, p. 18 (traduction modifiée).
4. Michael Curtis, « Introduction », *in* Curtis, 1986, p. 11.

mythe conspirationniste radicalisé par une inspiration démonologique constitue une machine à fabriquer des ennemis absolus, voués à être détruits. Cette destruction constitue, pour ceux qui l'accomplissent comme un acte de purification, une rédemption, comme l'a bien aperçu Saul Friedländer proposant de caractériser l'antisémitisme hitlérien comme un « antisémitisme rédempteur »[1]. Le mythe conspirationniste constitue ainsi une vision magique du politique non moins qu'une philosophie sommaire de l'Histoire[2], mais il fonctionne aussi comme une incitation efficace à la mobilisation et un puissant mode de légitimation ou de rationalisation de l'action, aussi criminelle soit-elle.

Le politique est ici inséparable du culturel : les mythes politiques complotistes sont fabriqués avec divers héritages relevant des croyances populaires, de la fiction littéraire, des cultures religieuses, des représentations sociales à travers lesquelles le monde prend un sens, mais ils se diffusent également sous des formes qui ne sont pas expressément politiques, celles aujourd'hui de la culture de masse ou du divertissement. Il importe donc de s'interroger sur la consommation culturelle de produits fabriqués avec des matériaux symboliques relevant du complotisme, dont la force de séduction, depuis le début des années 1980, a été réactivée par son hybridation avec des thèmes empruntés à

1. Voir Friedländer, 1997, pp. 15, 83 *sq.*
2. Illustrations au XXe siècle : Jouin (1920), Rosenberg (1923), Webster (1924/1964), Queenborough (1933/1975), Carr (1958/1998), Cooper (1991), Holey (1993/2001), Icke (1999/2001).

l'ésotérisme. Le goût du mystère et l'attrait du secret semblent s'être mis au service des visions complotistes dans une part significative de la nouvelle culture populaire mondiale. J'examinerai quelques usages antijuifs récents de thèmes ésotériques, notamment ceux tournant autour d'une entité fictive, le « Prieuré de Sion », pseudo-société secrète que le best-seller de Dan Brown, *Da Vinci Code*, a pour ainsi dire lancée sur le marché planétaire. Je considérerai également quelques avatars contemporains de la légende des Anciens Astronautes civilisateurs de l'espèce humaine[1], qui a inspiré nombre d'ufologues conspirationnistes mettant en scène des extraterrestres et leurs descendants, en particulier des humanoïdes reptiliens, dans leurs réinterprétations du mythe des *Illuminati*, terme par lequel sont aujourd'hui désignés les maîtres secrets du monde, parmi lesquels les Rothschild tiennent une place enviable[2]. Je me référerai en particulier aux écrits de Jan Udo Holey[3], moins connu par son patronyme que par son pseudonyme Jan van Helsing ainsi que par le titre de ses trois ouvrages traduits en français : *Livre jaune n° 5*, suivi d'un *n° 6* et d'un *n° 7*. Holey-Helsing s'est fait connaître par son premier livre, publié en allemand en 1993, traduit en anglais deux ans plus tard et en français en 1997 (puis en 2001 sous

1. Stoczkowski, 1999. Illustrations du discours ufologique/conspirationniste : Holey, 2001 et Icke, 2001.
2. Illustration de la vision du complot mondial structurée par la « famille Rothschild » : Cherep-Spiridovitch, 2000. Pour une analyse approfondie, voir Taguieff, 2005.
3. Voir Holey, 1993-2004.

le titre *Livre jaune n° 5*) : *Les Sociétés secrètes et leur pouvoir au XXe siècle.* Ce type de littérature, qui mêle occultisme et négationnisme, illustre l'une des formes émergentes de la judéophobie culturelle, qui se propage dans des publics débordant ceux du vieil antisémitisme nationaliste, non sans croiser certains milieux gagnés par la propagande « antisioniste » internationale.

I

L'imaginaire du complot mondial dans la culture populaire contemporaine

> « On ne croit plus aux machinations des divinités homériques, auxquelles on imputait les péripéties de la Guerre de Troie. Mais ce sont les Sages de Sion, les monopoles, les capitalistes ou les impérialistes qui ont pris la place des dieux de l'Olympe homérique. »
>
> Karl R. Popper, 1948[1]

1. Karl R. Popper, « Prédiction et prophétie dans les sciences sociales » (1948), *in* Popper, 1985, p. 498.

Nous vivons à une époque où l'imaginaire du complot mondial semble se confondre avec l'imaginaire politique tel qu'il s'est mondialisé. Guerres et conflits sont toujours perçus et fantasmés à travers le prisme du complot, qui présuppose l'existence de forces obscures. On ne saurait s'étonner de constater que la croyance au complot donne l'illusion d'expliquer ou de pouvoir expliquer certains événements paraissant incompréhensibles ou inintelligibles. C'est là sa fonction principale. C'est la grande « utilité », au sens parétien du terme, de ce qu'il est convenu d'appeler la « théorie du complot » (*conspiracy theory*) : répondre à une demande[1]. Croire au complot, c'est se mettre en mesure de donner du sens à ce qui en paraît dépourvu, et qui inquiète. Or, avec l'évolution chaotisante liée à la mondialisation, l'obscurité semble s'accroître avec l'incertitude, laquelle provoque le désarroi et nourrit des angoisses. D'où l'intensification de la demande de sens, et l'extension du domaine du complot. Une extension indéfinie, sans terme assignable. Car le soupçon de complot

1. Voir Boudon, 2004, pp. 161, 164.

peut se porter sur toutes les formes d'interaction humaine qui, aussi banales soient-elles, font des « perdants » ou des « victimes » : du commerce et de l'industrie à la politique internationale. Face aux dangers supposés des OGM, par exemple, l'imaginaire complotiste surgit avec la question : « À qui profite le crime ? » La réponse standardisée est bien connue : les « multinationales », c'est-à-dire les artisans et les bénéficiaires de ce qu'il est convenu d'appeler la « mondialisation libérale ». Ces derniers sont censés faire partie du cercle sans frontières des élites dirigeantes, dont le noyau dur constitue une sorte de gouvernement secret d'extension planétaire. Leurs ennemis déclarés les stigmatisent comme « les nouveaux maîtres du monde » et les accusent de vouloir instaurer, par diverses manœuvres secrètes, un « Nouvel Ordre mondial » ou encore un « Gouvernement mondial ». Ils sont dénoncés comme des « manipulateurs », voire comme des « conspirateurs », censés appartenir à des « sociétés secrètes », en réalité bien peu secrètes : la Trilatérale, le Council of Foreign Relations (CFR), le groupe de Bilderberg, le B'nai B'rith[1], les Skull and Bones[2], etc. Les activités occultes de ces organisations,

1. Illustrations : Allen, 1971 ; Coston, 1937-2000 ; Griffin, 2001.
2. Littéralement : « Crâne et Os ». Il s'agit d'une fraternité étudiante de Yale créée en 1832, avec des rituels initiatiques s'inspirant de ceux de la maçonnerie. Son fondateur, William H. Russell, s'était affilié, au cours d'une année d'études faite en Allemagne, à une société secrète constituée sur le modèle de l'Ordre des Illuminés de Bavière, et dont le symbole était une tête de mort. Voir Sutton, 1986 (sur ce théoricien conspirationniste, voir Taguieff, 2005, pp. 468-477) ; Robbins, 2005 (étude baignant elle-même dans la mythologie

supposées fondées sur le pouvoir de l'argent et la manipulation cynique, sont perçues par leurs dénonciateurs comme la principale cause des malheurs de l'humanité. Les accusations convergent toutes sur un même ennemi incarnant la « causalité diabolique », les États-Unis, souvent jumelés avec Israël. Sur le site du Réseau Voltaire, l'une des principales officines antiaméricaines en France, on lit cette introduction alléchante à un long compte rendu élogieux du livre d'Alexandra Robbins sur Skull and Bones :

> « Au sein de la très élitiste et puritaine université de Yale sont cooptés chaque année quinze fils de très bonne famille. Ils forment une société secrète aux rituels morbides : les Skull and Bones (Crâne et Os). Tout au long de leur vie, ils se soutiennent et s'entraident face aux velléités démocratiques d'une plèbe qu'ils abhorrent. Les deux candidats à la dernière élection présidentielle, George W. Bush et John Kerry, loin d'être des adversaires, s'y côtoyaient en secret depuis trente-six ans. Alexandra Robbins a consacré aux *Booners* une enquête qui fait référence. Son livre est maintenant disponible en français. [1]»

Telle est la figure dominante dans laquelle s'est recyclé, après la Seconde Guerre mondiale, le mythe du complot des élites, des puissants ou des dominants. S'il fonctionne si bien, s'il ne cesse de trouver un public, c'est parce qu'il

---

conspirationniste), ouvrage conseillé et vendu par correspondance par le Réseau Voltaire, animé par Thierry Meyssan (voir Réseau Voltaire, 2006). Voir aussi « Introduction à l'Ordre des Skull and Bones », http://www.barruel.com/introduction-a-l-ordre.html.

1. Réseau Voltaire, 2006.

est fabriqué avec ce que Tocqueville appelait les « gros lieux communs qui mènent le monde »[1].

Dans la perspective définie par Popper, la « théorie du complot » consiste à poser que tous les maux observables dans les sociétés sont dus à un complot des puissants, qui dissimuleraient leurs desseins égoïstes sous de nobles intentions (« démocratie », « libéralisme », « humanisme », « progressisme », etc.)[2]. Un complot peut se définir minimalement comme un récit explicatif permettant à ceux qui y croient de donner un sens à tout ce qui arrive, en particulier à ce qui n'a été ni voulu ni prévu. Ou plus exactement, qui semble n'avoir été ni voulu ni prévu. Dans la perspective complotiste, il n'y a pas d'« effets pervers » au sens sociologique du terme[3], car tout ce qui arrive est perçu comme l'effet d'intentions ou d'actions intentionnelles. C'est en ce sens que la théorie du complot constitue un simulacre de science sociale. Pour comprendre cette prétention recouvrant une imposture, il faut rappeler comment Popper définissait la « tâche principale des sciences sociales théoriques », à savoir « déterminer les répercussions sociales non intentionnelles des actions humaines intentionnelles[4] ». Les sciences sociales sont ainsi vouées à étudier les effets pervers. Le théoricien complotiste, quant à lui, commence par nier l'existence même des effets per-

1. Voir Boudon, 2005, p. 15.
2. Voir Popper, 1985, pp. 22-25, 187-188, 497-498 ; Poliakov, 1980, pp. 26-27 ; Boudon, 2004, p. 41.
3. Voir Boudon, 1979.
4. Voir Popper, 1985, pp. 187-191.

vers, ou bien s'efforce de les éliminer du champ historique ou social en les réduisant à des modes de réalisation de plans ou de projets, donc à des effets attendus.

Encore faut-il distinguer les complots locaux, par exemple internes à une nation, des complots mondiaux ou transnationaux à visée planétaire, qu'il est convenu d'appeler « mégacomplots ». Ce sont surtout les croyances aux « mégacomplots », se nourrissant de toutes les formes de rivalité et d'affrontement, qui font l'ordinaire de la politique internationale. Les complots réels ou fantasmés se distribuent le plus simplement possible selon le partage entre « dominants » et « dominés » : si l'on soupçonne les puissants ou les élites en place de conspirer pour conserver ou étendre leur pouvoir, les élites dirigeantes dénoncent volontiers les complots attribués aux opposants, aux révoltés ou aux rebelles. Le recours au complot dévoile la faiblesse des puissants et révèle la force des faibles (ou des demi-puissants). D'où le spectacle planétaire d'un vaste espace polémique régi par une opposition manichéenne entre « dominants » et « résistants ». Au grand complot impérialiste-américain, « sioniste » ou « américano-sioniste » répond le terrifiant « complot islamiste », « islamo-terroriste » ou « islamo-fasciste », lequel semble justifier les contre-complots attribués à la lutte anti-terroriste internationale. La confusion s'ajoute à l'obscurcissement. Cependant, l'entrée dans la galerie des complots n'est pas dénuée d'utilité sociale : elle présente l'avantage de permettre l'expression et la mise en scène des angoisses provoquées par l'accélération des changements due à la globalisation, tout en répondant de façon rassurante à la question « pourquoi ? », sans se perdre dans la multiplicité des facteurs causaux, par une réduction du complexe au simple. Le schéma explicatif rassurant consiste à désigner les responsables de tous nos maux. C'est ainsi que les récits ou les scénarios complotistes donnent du sens aux événements historiques sidérants ou déroutants, en fournissant des explications simplifiantes, en général fausses ou douteuses, de leurs conditions d'apparition. Et ils le font sur le mode des « révélations », qui satisfont à la fois le goût du secret et le désir de curiosité.

1. Caractérisation de la vague complotiste contemporaine

L'imaginaire du complot est mêlé à la réalité des complots d'une manière inextricable, à tel point que tout complot réel est surinterprété pour s'inscrire dans le récit du grand complot mondial. Comme à l'époque de la Révolution française, où le complot maçonnique trouvait son image inversée dans le complot jésuitique tandis que le complot jacobin se renversait en complot contre-révolutionnaire ou royaliste, l'imaginaire du complot est entré dans la galerie des miroirs, qui se sont multipliés entre-temps. La vision dominante de la politique mondiale est régie par un certain nombre de représentations conspirationnistes : réseaux secrets ou sociétés secrètes ayant infiltré les gouvernements et les organisations internationales, manœuvres occultes de minorités actives, projets subversifs de groupes de comploteurs terroristes, manipulations gouvernementales, etc.

Prendre pour objet d'études l'imaginaire du complot ou les complots imaginaires, ce n'est nullement nier l'existence de machinations[1] ou de complots dont la réalité historique est bien établie par les travaux historiographiques. Nul ne nie par exemple les complots ayant abouti à la mort par assassinat de Philippe II de Macédoine (336 av. J.-C.), de Jules César (44 av. J.-C.), de Caligula (en 41), d'Attila (en 453), d'Abraham Lincoln (en 1865), de Raspoutine (en 1916), de Léon Trotski (le 21 août 1940), du président John Fitzgerald Kennedy (le 22 novembre 1963 à Dallas), du pasteur Martin Luther King (le 4 avril 1968 à Memphis), du président Mohamed Anouar El-Sadate (le 6 octobre 1981) ou du Premier ministre libanais Rafic Hariri (le 14 février 2005)[2]. Tout événement non prévu, provoquant de la stupeur, de l'indignation ou de l'angoisse, est susceptible d'être interprété comme le produit d'un complot : la mort par overdose ou suicide de Marilyn Monroe (découverte le 5 août 1962), la pandémie de sida, la mort accidentelle de la princesse Diana en septembre 1997, les attentats anti-américains du 11 septembre 2001, le tsunami de décembre 2004, les « émeutes urbaines » en France du 27 octobre à la mi-novembre 2005.

---

1. Définition donnée par le *Nouveau Petit Robert*, dans son édition parue en 2002 : « Ensemble de menées secrètes, plus ou moins déloyales. »
2. On pouvait lire, à la Une du journal *Le Monde*, daté du 22 octobre 2005 : « Un complot syro-libanais a préparé l'assassinat d'Hariri ».

Sida et « Holocauste noir »

Prenons d'abord l'exemple du sida. Un grand récit d'accusation circule planétairement depuis le début de l'épidémie de sida, faisant jouer un mode d'« explication » relevant typiquement de la « causalité diabolique » : tout s'éclairerait par un complot américain dont les initiateurs, inévitablement liés à la CIA, auraient organisé la fabrication du virus du sida en laboratoire, au moyen de manipulations génétiques, pour décimer les pays pauvres et ainsi apporter une réponse efficace à la question préoccupante de la surpopulation dans le monde[1]. D'autres auteurs dénoncent le sida comme une « arme génétique ou ethnique », destinée à tuer sélectivement et en masse des catégories d'humains. Il y a ainsi une version « gay » du complot : le virus diabolique aurait été fabriqué pour éliminer les homosexuels[2]. Enfin, le leader du mouvement « nationaliste » afro-américain La Nation de l'Islam (« *The Nation of Islam* »), Louis Farrakhan, a repris l'accusation de manipulation à son compte, dénonçant un complot de l'Amérique blanche contre les Noirs, voire la volonté de réaliser un « Holocauste des Noirs ». En mars 1992, Farrakhan a

1. Voir *Livre jaune n° 6*, 2001, pp. 379-413 (chap. 21 : « La surpopulation et les méthodes pour y remédier », en partic. pp. 392-399 : « Des virus mortels contre la surpopulation »). Ce chapitre est caractéristique des écrits conspirationnistes de Jan van Helsing (pseudonyme utilisé par Jan Udo Holey), traduits en français sous le titre générique *Livre jaune*, dont trois volumes ont été publiés de 1997 à 2004 par les Éditions Félix.
2. Cantwell, 1993.

ainsi accusé publiquement les « Blancs » de vouloir exterminer les « Noirs » par la propagation du virus du sida[1]. Ce thème d'accusation s'intègre dans le grand récit mythique du complot « blanc » pour accomplir, par divers moyens, le « Black Holocaust ». Un complot « blanc » dont l'une des figures, devenue la figure centrale au cours des années 1990, est un « complot juif » contre les Noirs. Car l'organisation politique La Nation de l'Islam, à base ethno-raciale (réservée aux « Américains-Noirs ») et religieuse (l'Islam comme drapeau), dirigée par le démagogue Farrakhan, diffuse les thèmes classiques de la littérature conspirationniste européenne (à dominante anti-judéomaçonnique), à travers tracts, conférences et livres. Son racisme anti-Blancs se traduit avec une virulence particulière par des écrits ou des propos antijuifs. Cette extrémisation du discours judéophobe ne peut se comprendre qu'en référence à la logique de la « concurrence des victimes » : pour asseoir l'identité victimaire des Afro-Américains, Farrakhan doit se fonder sur la mémoire d'un équivalent de la Shoah. Ce génocide imaginaire et fondateur, inventé par imitation, il va le trouver dans l'histoire de la traite occidentale, et ce, contre l'évidence historique même, car – faut-il le souligner – le système esclavagiste occidental – aussi criminel qu'il ait pu être – n'était nullement fondé sur un projet d'extermination systématique de la force de travail représentée par les esclaves africains[2]. En 1991, La Nation de

1. Pipes, 1997a, pp. 5-6.
2. Voir notamment Pétré-Grenouilleau, 2004.

l'Islam, organisation incarnant une variante extrémiste du « *black nationalism* » et de l'afrocentrisme, a publié un pamphlet antijuif, intitulé *Les Relations secrètes entre les Noirs et les Juifs* (*The Secret Relationship Between Blacks and Jews*, Boston, « Département de recherche historique » de La Nation de l'Islam), soutenant que la traite des esclaves africains-noirs avait été organisée secrètement par les Juifs, accusés d'avoir été les « opérateurs majeurs de cette entreprise[1] », qui aurait abouti à un « Holocauste ». Une fois postulée l'existence d'un génocide des Africains esclavagisés, il est facile de glisser de la concurrence des victimes à leur hiérarchisation, le nombre des victimes africaines de la traite, sur quatre siècles, dépassant de beaucoup celui des victimes juives du système hitlérien en quatre ans. Et, en accusant les Juifs d'une responsabilité majeure dans la traite-génocide, on passe de la comparaison/hiérarchisation à l'accusation de génocide portée contre les Juifs. Chez Farrakhan, cette argumentation diabolisante est clairement articulée à une judéophobie assumée, voire revendiquée. On peut en fournir plusieurs preuves[2]. Elle va de pair avec un anti-américanisme qui s'exprime notamment par la prophétie menaçante que « Dieu détruira l'Amérique par la main des musulmans »[3].

1. The Nation of Islam, 1991, p. 178. Voir Gates, 1992 et 1994; Brackman, 1994; Pipes, 1997a, en partic. pp. 5-6, 24, 30, 41, 157-159; Knight, 2000, pp. 162-165; Taguieff, 2002, pp. 141-142, et 2004b, pp. 397-398 (note 83). Sur la démonologie de La Nation de l'Islam et la spécificité du « style paranoïde » de Farrakhan, voir Singh, 1997.
2. Kepel, 1994, pp. 23, 99-102, 108, 111; Singh, 1997.
3. Louis Farrakhan, cité par Delcambre, 2006, p. 172.

Dix ans plus tard, le bouffon Dieudonné a importé cette accusation sans fondement en France, pour nourrir son combat qu'il qualifie d'« antisioniste[1] ». L'humoriste devenu démagogue « identitaire » (en tant qu'agitateur de la « cause noire ») a fait, par exemple, dans un entretien accordé à une journaliste le 11 décembre 2004, cette déclaration où il joue avec l'accusation : « Le sida est une invention pour anéantir le peuple noir d'Afrique. Ce serait pas mal de faire une étude sur les origines de cette maladie. Non, je ne le pense pas, mais je m'interroge. Il faudrait une commission d'enquête. [2]» Le recours à la prétérition, figure de rhétorique par laquelle on affirme une thèse à travers sa négation (« Le sida est [...]. Non, je ne le pense pas, mais je m'interroge »), est souvent pratiqué par l'humoriste démagogue. Il y ajoute ici une posture tactique, l'auto-interrogation publique, qu'un démagogue comme Jean-Marie Le Pen a utilisée dans les années 1980 pour mettre en doute l'existence des chambres à gaz homicides des camps d'extermination nazis : « N'étant pas spécialiste, j'ai entendu comme tout le monde le chiffre de six millions, mais je ne sais pas exactement comment il est établi.[3]» Au

1. Voir Taguieff, 2004b, pp. 387-410.
2. Dieudonné, cité par Mercier, 2005, p. 15.
3. Voir l'interview accordée par Jean-Marie Le Pen à *National-Hebdo*, n° 98, 5-11 juin 1986 « Le Pen : ma philosophie »), p. 6 (passage cité partiellement par Igounet, 2000, p. 495). L'habileté rhétorique de Le Pen consiste à mettre sur le même plan, tout en les opposant comme deux écoles historiographiques concurrentes, ceux qu'il appelle les « historiens dits "révisionnistes" » et ceux qu'il baptise les « historiens officiels », les premiers mettant « en doute le moyen

cours du même entretien, Dieudonné, questionné sur son soutien à la chaîne de télévision du Hezbollah, Al-Manar, qui programme des émissions à contenu antijuif (inspirées par exemple des *Protocoles des Sages de Sion*), répond : «Cette chaîne pousse le débat sur qui a développé cette maladie.[1]» Sans autre précision. Mais l'allusion est facilement décodable.

En 1994, l'une des maisons d'édition liée à La Nation de l'Islam a réédité la traduction américaine (originellement parue en 1929) d'un classique de l'antimaçonnisme et de l'antisémitisme conspirationniste dû à un Français, le théoricien catholique traditionaliste et contre-révolutionnaire Léon de Poncins (1897-1976) : *Freemasonry & Judaism : Secrets Powers Behind Revolution* (l'original français, paru en 1928, s'intitulait *Les Forces secrètes de la Révolution.*

de cette extermination – les chambres à gaz – et son étendue – les six millions», les seconds censés croire aux chambres à gaz et aux six millions de victimes juives. Le «doute» face à la «croyance». Un an après avoir ainsi introduit le motif «révisionniste» sur le mode de la dubitation, le président du Front national passe de son lectorat restreint au public le plus large : le 13 septembre 1987, invité au Grand Jury RTL-*Le Monde*, Le Pen affirme que les chambres à gaz sont «un point de détail de l'histoire de la Deuxième Guerre mondiale» et qu'il n'a pu en voir de ses yeux (*sic*), répète qu'il n'a pas étudié spécialement la question et qu'il «y a des historiens qui débattent de ces questions». J'ai proposé de caractériser cette stratégie rhétorique de mise en doute comme «dubitationniste» plutôt que franchement «négationniste» (au sens où Robert Faurisson, niant explicitement l'existence des chambres à gaz et la réalité historique du génocide nazi des Juifs d'Europe, est «négationniste»).

1. Dieudonné, cité par Mercier, 2005, p. 15.

Franc-Maçonnerie et Judaïsme)[1]. La Nation de l'Islam diffuse également les *Protocoles des Sages de Sion*. Baignant dans cette culture politique conspirationniste, Farrakhan peut lancer publiquement que « tous les présidents [américains] depuis 1932 sont contrôlés par les Juifs »[2]. Référence bien sûr à l'élection, le 8 novembre 1932, de Franklin D. Roosevelt à la présidence des États-Unis. Référence significative à un président américain dénoncé depuis les années trente, par la plupart des auteurs conspirationnistes, comme « l'homme des Juifs et des francs-maçons ». L'une des « preuves » avancées par les auteurs conspirationnistes pour soutenir cette accusation est que Roosevelt aurait donné l'ordre, en 1933 ou en 1935, d'imprimer sur la gauche du verso des billets de un dollar l'insigne de l'Ordre des Illuminés de Bavière (adopté par son fondateur Adam Weishaupt le 1er mai 1776). Ce serait là un acte d'allégeance[3].

Par-delà son exploitation par Farrakhan, la mythologisation des origines et des modes de transmission du virus du sida[4] s'est constituée en un nouveau thème, inépuisable,

---

1. Voir Poncins, 1928 (1929), rééd. 1994. Sur cette traduction et sur Léon de Poncins, voir Taguieff, 2004a, *passim*, et 2004b, pp. 687 (note 205), 781 (note 431).
2. Farrakhan, cité par Pipes, 1997a, p. 6.
3. Voir les textes reproduits et commentés en annexe de mon livre *La Foire aux Illuminés* (Taguieff, 2005, pp. 434-436, 521).
4. Voir les écrits de Leonard G. Horowitz sur les origines du virus du sida. Son ouvrage principal, *La Guerre des virus*, publié aux États-Unis en 1996 (Horowitz, 2000), est devenu une source d'inspiration commune à Louis Farrakhan et au « Ministre de la Santé » de La Nation de l'Islam, le Dr Muhammad, à David Icke et à Jan Udo

du discours complotiste : à travers la dénonciation litanique du « lobby biomédical » et du « lobby pharmaceutique » (ou de « l'industrie pharmaceutique »), diabolisés sur le modèle du « lobby militaro-industriel »[1], de nouveaux imprécateurs appellent à rejeter vaccins et médicaments, qui « empoisonneraient » l'espèce humaine. Les tenants des « médecines naturelles » et de toutes les formes de « naturopathie » ne peuvent que se réjouir de cette grande mise en accusation. Les interprétations complotistes varient selon les engagements idéologiques des auteurs. Pour les uns, le virus du sida, fabriqué expérimentalement et transmis volontairement à travers des campagnes de vaccination obligatoire, est d'abord un moyen de « réduire la population mondiale » (Holey/Helsing), de réaliser donc l'un des objectifs attribué par leurs ennemis aux « mondialistes » supposés intrinsèquement néo-malthusiens. Pour certains théoriciens complotistes des milieux homosexuels anglo-saxons, la transmission orchestrée du virus du sida ferait partie d'un programme d'extermination des « gays[2] », alors que pour les nationalistes afro-américains, elle constituerait l'instrument privilégié d'un génocide des Noirs[3]. L'action politique prônée par ces milieux militants

Holey (*Livre jaune n° 6*, 2001, pp. 379-413; *Livre jaune n° 7*, 2004, pp. 149-157).

1. Pour un examen critique de cette « épidémie du complot » face au « méchant loup pharmaceutique », voir Urfalino, 2005, pp. 11-41.
2. Cantwell, 1993.
3. Voir l'entretien accordé à Leonard Horowitz par le Dr Muhammad, *in* Horowitz, 2000, pp. 630-633. Voir aussi, sur le site de David Icke, la section « Medical Archives », où l'on peut lire en ligne des

est d'abord le boycottage des campagnes de vaccination, ensuite la dénonciation et le harcèlement des divers « lobbies » diabolisés, à commencer par celui des firmes pharmaceutiques. Mais elle inclut aussi l'appel à tourner le dos à la modernité techno-scientifique – dénoncée comme un gigantesque complot contre l'ordre naturel – pour redécouvrir les bienfaits des « médecines douces », de la « naturothérapie », de l'acupuncture, du yoga, de la relaxation, du végétarisme, de l'agriculture biologique, et, pourquoi pas, du magnétisme et de l'hypnose. La voie est ainsi ouverte à un ésotérisme de bazar.

Un autre exemple de dénonciation complotiste anti-élites peut être trouvé sur le site islamiste La Voix des Opprimés (http://news.stcom.net), où l'on peut lire au printemps 2006 un article surtitré « Conspiration » : « Un scientifique de haut rang plaide en faveur d'une réduction massive de 90 % de la population[1] ». Il s'agit dans ce texte de révéler et de dénoncer un projet génocidaire de style néomalthusien fondé sur la propagation volontaire du virus ebola :

> « Un scientifique de haut rang a donné une conférence à l'académie des sciences du Texas le mois dernier, dans lequel il plaida en faveur de la nécessité d'exterminer 90 % de la popu-

textes de Leonard Horowitz , par exemple : « SARS (Severe Acute Respiratory Syndrome) : A Great Global SCAM », http://www.davidicke.net/medicalarchives/conspiracy/sars.html.

1. Traduction française (maladroite) d'un article de Paul Joseph Watson du 3 avril 2006; http://www.prisonplanet.com/articles/april2006/030406massculling.htm.

lation avec le virus ebola qui se propage par voie aérienne. Les commentaires du Dr Eric Pianka, à donner la chair de poule, ainsi que leur accueil enthousiaste mettent encore une fois en exergue le programme des élites de prendre des mesures terrifiantes de contrôle des populations. Il fut ordonné que le discours de Pianka ne soit pas enregistré. Avant qu'il ne commence, les caméras furent écartées alors que des centaines de personnes, étudiants, scientifiques et professeurs, assistaient à la conférence. Disant que le grand public n'était pas préparé à entendre l'information présentée, Pianka commença par s'exclamer : “Nous ne valons pas mieux qu'une bactérie”, se lançant dans une diatribe malthusienne contre la surpopulation qui détruit la planète. Debout devant la projection d'un squelette humain, Pianka plaida allégrement en faveur du virus ebola comme étant sa méthode préférée pour exterminer les 90 % nécessaires des humains, le préférant au SIDA pour sa plus grande rapidité à entraîner la mort. Les victimes du virus ebola souffrent de la mort la plus infâme qu'on puisse imaginer, car le virus tue en liquéfiant les organes intérieurs. Le corps se dissout littéralement alors que la victime se tord de douleur saignant par tous ses orifices. Pianka cita ensuite la fraude du pic de production pétrolière comme une raison supplémentaire de lancer un génocide global. “Et les sources d'énergies fossiles arrivent à épuisement”, dit-il, “donc je pense que nous devons réduire [la population mondiale] à deux milliards, ce qui représenterait à peu près un tiers de la population actuelle”. Un peu plus tard, le scientifique se réjouit des dégâts potentiels de la grippe aviaire et parla, tout rayonnant, de la politique chinoise forçant les familles à n'avoir qu'un seul enfant, avant de commenter plein d'enthousiasme : “Nous devons stériliser chaque individu sur terre.” À la fin du discours de Pianka, l'audience explosa, non pas en huées et en sifflets, mais en applaudissements et en acclamations alors que des membres de l'audience s'approchaient du scientifique pour lui poser des questions. Pianka fut plus tard récompensé comme scientifique distingué par l'Académie. Pianka n'est pas un cinglé. Il a donné des conférences dans des universités prestigieuses du monde entier. Un observateur horrifié put prendre quelques notes sur la conférence et notre gratitude va à Forrest M. Mims pour avoir porté à l'attention du monde un témoignage de cette scène révoltante. »

Extraterrestres et forces sionistes

Étant donné qu'il est de notoriété publique que la CIA conduit des opérations secrètes et organise des complots, elle représente une cible privilégiée pour tous les dénonciateurs de complots imaginaires. Ces derniers voient la main invisible de la CIA dans tous les bouleversements mondiaux. L'existence d'une base empirique pour les inférences les plus délirantes confère à ces dernières une vraisemblance que les professionnels du conspirationnisme savent exploiter. Depuis 1947 (année de création de la célèbre agence) et l'entrée dans la période de la guerre froide, la CIA est régulièrement inscrite dans les figures mythiques du « Gouvernement invisible » ou du « Gouvernement secret »[1]. Mais, coïncidence hautement significative relevée par tout esprit complotiste, c'est également en 1947 qu'a eu lieu l'événement fondateur de l'affaire ou de la rumeur de Roswell (Nouveau-Mexique), à savoir la prétendue découverte, par l'armée de l'Air américaine, d'un ovni accidenté, contenant des extraterrestres morts ou blessés. Voilà qui suffit à confirmer, pour certains

1. Voir Knight, 2000, pp. 28 *sq.*, 86 *sq.*, 148-152.

esprits, la thèse du complot du « gouvernement secret » américain (comprenant la CIA) pour dissimuler de prétendus accords secrets passés avec des extraterrestres prédateurs mais plus « avancés » que les humains en matière de technologie[1]. Voilà aussi qui nous permet d'enchaîner sur les complots purement fictifs, dénués de base empirique, aussi invérifiables qu'irréfutables (ou infalsifiables). Ces derniers ont pris un nouvel essor avec l'apparition des extraterrestres dans l'espace des croyances contemporaines : depuis 1947 (Roswell), les récits d'abductions ou d'enlèvements extraterrestres (plus exactement : d'humains par des extraterrestres) et les dénonciations du « complot extraterrestre » (indissociable du « complot gouvernemental » à l'américaine) se sont multipliés, bénéficiant ces dernières années des puissants moyens de diffusion offerts par Internet.

Prenons un second exemple de « mythologie contemporaine » ou de rumeur développée en scénario, qui nous est fourni par une interprétation caricaturalement conspirationniste des émeutes urbaines en France de fin octobre/début novembre 2005. Il s'agit d'un « appel solennel » publié par un certain Christian Cotten, diffusé sur le site Web « On nous cache tout » (l'un des sites conspirationnistes de langue française) sous le titre « Nicolas Sarkozy : coup d'État ? » (mis en ligne le 5 novembre 2005)[2]. Il consiste à dénoncer un complot américano-sioniste en France, dont Nicolas Sarkozy serait le principal organisateur :

1. Illustrations : Cooper, 1991 et 2004.
2. Les passages soulignés le sont dans l'original mis en ligne.

« *M. Nicolas Sarkozy, actuel ministre de l'Intérieur français, prépare à ce jour un coup d'État militaro-policier, avec la complicité passive et contrainte de Messieurs Chirac et De Villepin.* Cette tentative de haute trahison de la souveraineté nationale et d'atteinte majeure à la sûreté de l'État et à la sécurité du peuple français vise à satisfaire les intérêts de deux puissances étrangères, à savoir les États-Unis et Israël, dont les gouvernements sont actuellement en situation de plus en plus difficiles face à leurs propres populations. Les actes récents de M. Sarkozy relèvent de l'intelligence avec une puissance étrangère et méritent une arrestation immédiate par les forces de l'ordre capables de rester fidèles aux principes fondamentaux de la démocratie et de l'État français. L'objectif du processus séditieux actuellement mis en œuvre par M. Nicolas Sarkozy et ses « conseillers » est d'entraîner l'État français à entrer en guerre aux côtés des États-Unis et du gouvernement sioniste de l'État d'Israël contre la Syrie et le Liban, puis l'Arabie Saoudite et l'Iran. Ce processus fait suite aux attentats de New York mis en œuvre en septembre 2001 par des éléments séditieux de l'armée et du gouvernement américain, ainsi qu'aux attentats de Madrid et de Londres, qui, tous, obéissent aux mêmes buts : terroriser les populations en désignant le monde arabo-musulman comme bouc émissaire et ce, aux fins d'instaurer lois liberticides et gouvernements totalitaires en lieu et place des démocraties occidentales. *Le millier de voitures mises à feu depuis 8 jours, les attentats contre des usines, magasins, bus, entrepôts, etc., sont mis en œuvre par une organisation très efficace qui utilise des hommes de main dont certains sont directement membres de services de l'État français, et repose sur des militants activistes du sionisme le plus violent et antisémite* [sic]. [...] *Ces violences, à ce jour uniques en Europe, ne sont pas le fait d'une stratégie islamiste ou d'une génération spontanée de révoltes individuelles de jeunes mal dans leur peau, mais bien le résultat d'une stratégie élaborée et très déterminée des forces sionistes, particu-*

lièrement puissantes en France, un des rares pays qui forme, protège et soutient des groupes politiques activistes interdits en Israël même. »

L'antisionisme radical constitue l'une des principales orientations de la littérature complotiste contemporaine, et permet une réactualisation du vieux thème d'accusation : « Les Juifs dirigent l'Amérique ». Pour les diffuseurs du mégacomplot, il s'agit de dénoncer « l'occupation sioniste » du monde. Le 22 novembre 2005, en visite à Damas, pour exprimer sa « solidarité » avec le « peuple syrien[1] », le néo-nazi américain David Duke (Louisiane), ancien « chevalier » du Ku Klux Klan[2], défenseur de la « race blanche » et de la « civilisation blanche », a notamment déclaré dans un discours retransmis par la télévision syrienne :

> « C'est le devoir de tout homme libre que de dénoncer les complots et les menaces qui visent la Syrie » ; « Les sionistes occupent la plus grande partie des médias américains et contrôlent maintenant, pour une large part, le gouvernement américain » ; « En Amérique et partout dans le monde, il n'y a que les sionistes pour vouloir la guerre et non la paix » ; « Cela me fait mal de vous dire qu'une partie de mon pays [les USA] est occupé par les sionistes, exactement comme une partie de votre pays – le plateau du Golan – est occupée par les sionistes » ; « Ce ne sont pas seulement la Cisjordanie et le Golan qui sont occupés par les sionistes mais aussi New York, et Washington, et Londres, et de nombreuses capitales dans le monde » ; « Je vous apporte un message de la part de nombreux Améri-

1. David Duke, interview parue dans *Arabic News*, 22 novembre 2005. Voir aussi le *Yediot Aharonot*, 27 novembre 2005.
2. Voir Taguieff, 2002c, p. 114 (nombreuses références dans les notes 1 et 2), et 2004b, p. 837.

cains, de nombreux Britanniques et de partout en Occident; nous disons : non à la guerre pour [défendre] Israël».

Le mégacomplot

Tout complot implique l'existence d'un groupe organisé, doté d'un projet (donc visant un objectif), engagé dans des activités secrètes censées permettre d'atteindre l'objectif visé (selon le principe «la fin justifie les moyens») et mû par une volonté de nuire ou plus généralement par de mauvaises intentions. Qu'ils soient réels ou fictifs, chimériques, fantasmés, les complots appartiennent à deux types distincts : 1° les complots fomentés par des minorités actives, qu'elles soient déviantes, subversives ou révolutionnaires; 2° les complots dus aux élites dirigeantes, organisés par des conspirateurs appartenant au pouvoir en place, c'est-à-dire les complots conduits par des manipulateurs dans les «coulisses» du pouvoir. Si l'on reconnaît que les «dominés» peuvent comploter autant que les «dominants», les complots fictifs les plus populaires aujourd'hui – en fait, depuis les années 1950 – sont des complots attribués aux «puissants» ou aux «dominants» : capitalistes et financiers, impérialistes, hauts dirigeants politiques, clubs transnationaux élitaires et fermés, etc. Deux types de conspirateurs se dessinent : d'une part, le type subversif, incarné notamment par les révolutionnaires prêts à tout pour réaliser leurs fins, lesquelles se résument par la prise du pouvoir, et, d'autre part, le type manipulateur, incarné par les «maîtres secrets», recourant aux services de groupes d'agents d'influence ou de policiers eux-mêmes manipulateurs, stratèges cyniques autant qu'occultes prêts à tout pour conserver le pouvoir ou étendre leur pouvoir.

Parmi les principales figures historiques prises par le mythe du « mégacomplot », on constate que le « complot juif mondial » ou « international », dans le dernier tiers du XIXe siècle, a pris la suite du « complot maçonnique » supposé par nature universel, récit mythique qui s'était constitué à la fin du XVIIIe siècle. Le « complot juif mondial » a été interprété, et est toujours susceptible d'être reformulé, de diverses manières : du « complot judéomaçonnique » au « complot judéocapitaliste » ou « judéoploutocratique », sans oublier le « complot judéobolchevique » (ou « judéocommuniste »), ou, recyclage plus récent dans le discours politique mondialisé, le « complot sioniste » ou « américano-sioniste[1] », voire « sionisto-maçonnique[2] ». L'article vingt-deux de la « Charte d'Allah », la Charte du mouvement islamiste palestinien Hamas (« Mouvement de la résistance islamique[3] »), rendue publique le 18 août 1988,

1. Avant la disparition du système communiste, dans la littérature d'extrême droite, la dénonciation d'un complot international de type « soviético-sioniste » était aussi banale que l'était, dans le discours soviétique, la dénonciation du complot « américano-sioniste » (Taguieff, 2004b, pp. 175-206). L'essayiste d'extrême droite américain Dan Smoot, par exemple, dénonçait dans les années 1960 et 1970 la conspiration organisée par l'URSS et Israël pour se partager le monde (Smoot, 1977, pp. 130-131 ; Pipes, 1997a, p. 148).

2. Voir Taguieff, 2005, Annexe X (pp. 518-522), le texte diffusé en 2005 sur le site islamiste La Voix des Opprimés, intitulé « La francmaçonnerie : la pègre sioniste mondiale... », où les « Illuminés » jouent le rôle principal, suivis par « la secte des Skull and Bones ».

3. Dans cette Charte, le Hamas se présente lui-même comme « l'une

fournit une frappante illustration de cette sombre vision de l'histoire moderne, empruntée à la mythologie occidentale du grand complot « mondialiste », avec ses organisations instrumentales et ses principales étapes historiques, de la Révolution française (version « judéo-jacobine » du complot) à la création de l'ONU (version « américano-sioniste »), en passant par la Révolution d'octobre (version « judéo-bolchevique ») :

> « Depuis longtemps les ennemis complotent, habilement et avec précision, pour réaliser leurs objectifs. Ils ont pris en considération les causes qui affectent les événements en cours. Ils ont amassé des fortunes considérables consacrées à réaliser leur rêve. Avec leur argent, ils ont pris le contrôle des médias du monde entier : presse, maisons d'édition, stations de radio, etc. Avec leur argent, ils ont suscité des révolutions à travers le monde afin de servir leurs intérêts et de réaliser leurs objectifs. Ils étaient derrière la Révolution française, la Révolution communiste et toutes les révolutions dont nous avons entendu parler. Avec leur argent, ils ont créé des organisations secrètes à travers le monde pour saboter les sociétés et servir les intérêts sionistes. Ces organisations sont : les francs-maçons, le Rotary Club, les Lions Club, le B'nai B'rith, etc. Avec leur argent, ils ont pris le contrôle des États impérialistes et les ont poussés à coloniser de nombreux pays pour exploiter leurs ressources et y propager la corruption. [...] Ils ont été derrière la Première

des branches des Frères musulmans en Palestine » (article deux). Pour le texte complet, voir http://www.us-israel.org, ou http://www.amitiesquebec-israel.org/textes/charteham.htm (tr. fr. intégrale). Traduction française partielle : *La Charte du Hamas*, brochure (7 p.) tirée d'un dossier de la revue *L'Arche*, n° 524-525, octobre-novembre 2001.

Guerre mondiale quand ils ont aboli le Califat islamique, réalisant des gains financiers et contrôlant les ressources. Ils ont obtenu la Déclaration de Balfour, créé la Société des Nations pour diriger le monde. Ils ont été derrière la Seconde Guerre mondiale, dont ils ont tiré d'énormes profits en spéculant sur le matériel de guerre, et ont ouvert la voie à la création de leur État. Ils ont été les instigateurs de l'abolition de la Société des Nations pour la remplacer par les Nations Unies et le Conseil de Sécurité afin de gouverner le monde à travers ces deux organisations. Il n'existe aucune guerre dans n'importe quelle partie du monde dont ils ne soient les instigateurs. [1]»

Dans ce développement, le peuple juif est dénoncé comme une super-société secrète d'extension internationale, une organisation criminelle spécialisée dans la manipulation dont l'objectif est de gouverner le monde après avoir contrôlé de façon occulte la politique mondiale et pillé les ressources de tous les pays.

La dénonciation du complot juif contre l'Islam va de pair avec une auto-présentation misérabiliste des musulmans comme «victimes». L'accusation de style complotiste vise les Juifs non pas simplement comme «dominateurs» et «conquérants», mais aussi comme criminels. L'ayatollah Khomeiny inscrivait ce thème d'accusation porté par le ressentiment et la victimisation chimérique dans une vision conspirationniste élargie : «Les Juifs, l'Amérique et Israël cherchent à nous enfermer et à nous tuer, à nous sacrifier.[2]»

1. Charte du Hamas, article vingt-deux (tr. fr. légèrement modifiée par mes soins).
2. Khomeiny, cité par Lewis, 1994, p. 121. Pour d'autres exemples, voir Israeli, 1993; Pipes, 1997b; Bodansky, 1999.

Le cas du général Moustafa Tlass, ministre syrien de la Défense et vice-président, est ici exemplaire : spécialiste de la dénonciation du meurtre rituel chez les Juifs[1], il n'a pas manqué de reprendre à son compte, en octobre 2001, la rumeur selon laquelle les attentats anti-américains du 11 septembre auraient été organisés par le Mossad, dans le cadre d'une conspiration juive visant à provoquer des représailles américaines contre le monde arabe et, plus largement, musulman[2]. Les victimes réelles du 11 septembre ? Les musulmans du monde entier[3]. La rumeur a fait le tour du monde musulman. Des « rumeurs négatrices » du type « Aucun avion ne s'est écrasé sur le Pentagone » (Thierry

1. Rappelons que le sinistre Tlass, ministre de la Défense depuis 1972, est notamment responsable du massacre de 20 000 Frères musulmans syriens, à Hama (1982), par l'armée placée sous ses ordres. S'il est un « boucher » au Proche-Orient, c'est bien lui. Mais il est à l'image de la dictature criminelle qui sévit toujours en Syrie. Voir Taguieff, 2004a, pp. 262-263 (note 2), 282-283 (note 5), et 2004b, pp. 107 (note 51), 117 (note 71), 346, 510-511.

2. Arieh O'Sullivan, « Le ministre syrien de la Défense accuse Israël d'avoir perpétré les attaques contre le World Trade Center et le Pentagone », *Jerusalem Post*, 19 octobre 2001 (tr. fr. Menahem Macina pour CJEE). Pour d'autres illustrations de cette thèse délirante, voir Wistrich, 2004, pp. 38 *sq.* ; Israeli, 2004, pp. 125 *sq.* Sur les interprétations conspirationnistes du 11 septembre aux États-Unis, voir Barkun, 2003, pp. 158-169, ainsi que le film documentaire de Marc Levin, 2005.

3. Sur la victimisation des musulmans dans le cadre d'une vision paranoïaque, de style conspirationniste, des Juifs et/ou des « sionistes », voir les exemples donnés par Véronique de Sá Rosas, « Complot ? Vous avez dit complot ? », http://mmlf.webdynamit.net, 23 juillet 2003.

Meyssan) ont également circulé, intégrées à des discours conspirationnistes mettant en accusation la CIA, le Mossad ou les deux ensemble[1].

La figure de l'ennemi insaisissable, intérieur autant qu'extérieur, aux motivations floues, alimente l'imaginaire du complot, du complot dans le complot. Rien n'exaspère plus un esprit complotiste que l'impuissance qu'il éprouve à identifier son véritable adversaire. On sait combien il est difficile de distinguer clairement les islamistes dits radicaux des islamistes militants en général : les premiers ne sont vraiment identifiables qu'à l'état de cadavres déchiquetés, après les attentats-suicides que leurs convictions djihadistes les ont conduits à commettre. Les islamistes radicaux incarnent le type de l'ennemi insaisissable de l'Occident depuis les dernières années du XXe siècle. Si, par exemple, Al-Qaida est désigné comme l'ennemi, pourquoi ne pas supposer que, derrière l'ennemi visible (ou à demi visible), se cache un super-ennemi invisible ? Si, à un premier niveau, l'on peut supposer l'existence d'un complot islamo-terroriste mondial, pourquoi ne pas supposer, plus profondément, que l'organisation de Ben Laden est manipulée ? Et que des forces inconnues et maléfiques ont organisé à l'échelle mondiale une machination destinée à faire croire à une menace islamo-terroriste ? Il suffit de faire intervenir la question « À qui profite le crime ? » pour trouver la bonne réponse : le « complot américano-

1. Voir Dasquié/Guisnel, 2002; Venner, 2002; Taguieff, 2004b, pp. 134 (note 92), 306; Vitkine, 2005, pp. 21-34, 105 *sq.*; Renard, 2006, pp. 63-64; Taïeb, pp. 140-142.

sioniste». Les attentats du 11 septembre se transforment dès lors en opérations des services secrets «américano-sionistes» pour déclencher et justifier une attaque mondiale contre «le monde musulman». L'alliance secrète entre la CIA et le Mossad donne une figure crédible à la conspiration.

La première grande vague complotiste d'après-guerre, aux États-Unis, a été motivée par l'anticommunisme dont le sénateur McCarthy s'est fait le chantre : l'ennemi communiste était perçu comme omnipotent et ubiquiste, présent partout mais partout dissimulé, donc toujours à débusquer et à démasquer. À commencer au sein du gouvernement américain. La seconde vague complotiste a été inspirée par le caractère énigmatique de l'assassinat du président Kennedy : le soupçon et les rumeurs de complot ont été alimentés par les résultats contestables, et contestés, de toutes les enquêtes et contre-enquêtes. La CIA y joue le rôle principal. La troisième vague complotiste a commencé avec les premières mises en doute des responsabilités islamistes dans les attentats du 11 septembre 2001, et la mise en accusation de la CIA ou d'un groupe de manipulateurs agissant secrètement au sein du gouvernement américain, et visant à justifier une politique agressive à l'endroit du monde musulman et plus particulièrement de certains pays arabes. À l'occasion de chacune de ces trois vagues, des best-sellers ont été fabriqués. Les derniers en date, dans le genre de l'essai politique, sont ceux d'Andreas von Bülow (ancien ministre allemand de la Recherche scientifique) et de Thierry Meyssan (membre du Grand Orient de France et secrétaire national du Parti radical de gauche)[1]. Dans une interview accordée au quotidien berlinois *Der Tagesspiegel* le 13 janvier 2002, Andreas von Bülow postule que les terroristes islamistes du 11 septembre 2001 étaient manipulés par les services secrets américains :

« On a pris prétexte de ces horribles attentats pour soumettre les démocraties occidentales à un lavage de cerveau. L'anticommunisme ne fonctionne plus pour désigner l'ennemi, on s'en prend maintenant aux peuples de confession musulmane. On les accuse d'être à l'origine des attentats-suicides. [...] [Les événements du 11 septembre] sont tout à fait dans la ligne de ce que veulent les industries d'armement, les services secrets et tout le complexe militaro-industriel avec son soutien académique. Cela crève les yeux. [...] Je constate que la planification des attentats, tant au niveau technique qu'au niveau de l'organisation, représente une performance exceptionnelle. En quelques minutes, on a détourné quatre gros porteurs, et en l'espace d'une heure, on leur a fait effectuer des manœuvres compliquées avant de les diriger vers leurs cibles respectives. C'est impossible à réaliser, à moins de pouvoir s'appuyer de manière permanente sur les structures occultes de l'État et de l'industrie. [...] Quand j'analyse des événements politiques, je suis en droit de me demander à qui ils profitent et qui en subit les conséquences, et quelle est la part du hasard. Dans le doute, il suffit de jeter un coup d'œil sur la carte : où se trouvent les ressources naturelles, quelles sont les voies d'accès? Prenez ensuite la carte des guerres civiles et des points chauds. Comparez – elles sont identiques. Même chose pour la troi-

1. Voir Meining, 2004, pp. 513-514; Boudon, 2004, pp. 162-163. Illustrations : Bülow, 2002, 2003; Meyssan, 2002a, 2002b, 2002c. Pour une approche critique, voir les études citées *supra*, p. 39, note 1.

sième carte : celle de la drogue. Quand tout colle, vous pouvez être sûr que les services secrets américains ne sont pas loin. [...] Au nom de la raison d'État, la CIA n'est tenue par aucune loi lorsqu'elle intervient à l'étranger. Pas de droit international qui compte ; un ordre présidentiel suffit. Si le terrorisme existe, c'est notamment parce qu'il existe des services secrets comme la CIA. Et lorsqu'on diminue les crédits, lorsque la paix s'annonce, alors une bombe explose quelque part. Ce qui prouve que rien ne va sans ces services secrets, que tous ceux qui les critiquent sont des crétins, des *nuts* comme les appelait Bush père, qui a été président et directeur de la CIA. [1]»

L'imagination complotiste ne reste pas dans les strictes frontières des bouleversements attribuables clairement à des groupes humains. Les catastrophes dites naturelles n'échappent pas aux surinterprétations conspirationnistes. Prenons l'exemple du tsunami, ce raz de marée qui a dévasté, en décembre 2004, un certain nombre de pays d'Asie du Sud (Indonésie, Inde, Thaïlande, Malaisie, Sri Lanka, Seychelles). Sans tarder, nombre de prédicateurs islamistes l'ont présenté comme un juste châtiment visant des populations « corrompues » par les Juifs et les Américains, une « vengeance divine ». Ou encore comme l'effet d'essais nucléaires secrets attribués à Israël. D'autres y ont ajouté une accusation récurrente : Juifs et Américains exploiteraient cyniquement la situation catastrophique qu'ils auraient provoquée, en s'installant dans la région pour s'y enrichir au nom de la « reconstruction ». Manière sophistique de répondre à la question « À qui profite le

1. Bülow, 2002.

crime ? » : s'il y a profit (première accusation, gratuite), c'est – seconde accusation – qu'il y a eu crime (et non pas processus naturel). C'est ainsi que le cheikh palestinien Ibrahim Mudeiris, dans son sermon du vendredi 7 janvier 2005 diffusé par la chaîne de télévision officielle de l'Autorité palestinienne (PA TV), a déclaré :

> « Le musulman se souvient que les Juifs ont corrompu la terre [...]. Oh ! Musulmans ! Les Juifs sont les Juifs. Leur caractère et leurs coutumes veulent corrompre et détruire cette terre. Nous vous alertons sans cesse : les Juifs sont un cancer qui se répand dans le corps de la nation islamique et arabe. [...] Ils investissent dans les pays d'Asie du Sud-Est qui ont été détruits [référence au tsunami] par la corruption et la destruction juive et américaine. [1] »

Il est temps de caractériser brièvement le contexte civilisationnel dans lequel l'esprit complotiste se répand avec autant de vitesse que d'intensité.

2. La vision complotiste à l'âge de l'incertitude et du soupçon

On connaît le diagnostic standard sur la « crise du sens » dans les sociétés contemporaines, qui se réduirait à une « crise des repères » engendrant un désarroi diffus. L'interprétation optimiste de la crise vient heureusement effa-

1. Extraits traduits par Itamar Marcus et Barbara Crook dans le Bulletin de Palestinian Media Watch, le 9 janvier 2005.

cer l'inquiétude latente : la « perte des repères » est censée déclencher une « quête de sens », une attente ou une recherche de « nouveaux repères ». Cette « quête de sens » a-t-elle elle-même un sens[1] ? Mais l'essentiel est ailleurs. Il tient à ce que cette crise n'est pas transitoire, à ce qu'elle est bien plutôt permanente, et conduit à définir la modernité comme crise continuée des fondements, dans l'ordre de la connaissance comme dans celui des valeurs et des normes. La désorientation n'est pas l'extraordinaire, elle constitue au contraire l'ordinaire de la vie quotidienne des Modernes. L'hypothèse générale peut être formulée que les humains, par le fait même qu'ils vivent dans des sociétés non traditionnelles qui ne sauraient être transparentes alors même qu'ils recherchent la transparence, ne peuvent cesser d'avoir peur, de se sentir menacés, et qu'ils ne peuvent pas non plus cesser d'inventer des raisons de se sentir exposés, fragiles, vulnérables[2]. Ches les Modernes, l'obscurité s'accroît d'abord avec l'accroissement de la mobilité qui érode les structures protectrices et donatrices de sens, ensuite avec le sentiment que les sociétés contemporaines sont de plus en plus complexes et, partant, de moins en moins intelligibles. Ce n'est plus la Nature impénétrable qui, effrayant les hommes, les poussent à créer des êtres chimériques, c'est le monde social-historique qui, paraissant hors de portée, inaccessible et *a fortiori* immaîtrisable, est cause d'anxiété, terrain propice à la superstition.

1. Voir Augé, 1994, pp. 186-187.
2. Dans le développement qui suit, je reprends librement certaines des analyses présentées *in* Taguieff, 2005, chap. II.

Un soupçon infini

L'inquiétude aiguise l'imaginaire du complot, renvoyant à des intérêts cachés, à des forces qui s'agitent dans l'ombre et à des acteurs invisibles menant des entreprises occultes. En parlant de complot, on nomme ce qu'il s'agit d'expliquer, on transforme le fantasme ou le délire en bonne raison d'être effrayé, voire terrorisé. Parce qu'on ne peut administrer la preuve de son irréalité empirique, le complot relève à la fois de l'irréfutable et de l'intarissable[1]. Pour celui qui croit à un complot, contester l'existence du complot, c'est prouver qu'on fait partie du complot. De la même manière, nier l'existence d'une société secrète, c'est se trahir, en fournissant la preuve qu'on est lié d'une quelconque manière à ce groupe occulte. Le soupçon que le complot pourrait exister malgré l'absence d'indices visibles pousse à imaginer et à fabuler, comme si l'inapparent et l'insaisissable constituaient des symptômes à interpréter, voire des fils conducteurs. Ce qui est par nature censé couver dans l'ombre ne cesse, après consomption, de renaître de ses cendres. Le pressentiment du complot fait peur, la reconnaissance du complot alimente l'inquiétude, mais en même temps la croyance que tout a été prévu, que la marche vers le futur obéit à un plan caché, voilà qui rassure. L'hyper-rationalité du devenir portée par la vision du complot dissipe en partie l'effroi provoqué par l'ignorance mêlé d'impuissance. Le modèle d'intelligibilité qu'offre la théorie du complot séduit dans l'exacte mesure où, chez

1. Poulat, 1992, p. 9.

les Modernes, la pratique de la démystification procure une jouissance spécifique.

L'un des effets paradoxaux de la « transparence » démocratique est qu'en facilitant la diffusion de l'information sur l'action des services secrets, sur les agissements de sectes criminelles (ou des réseaux terroristes internationaux) et les complots politico-financiers heureusement déjoués, elle nourrit l'imaginaire de la conspiration. Non seulement la politique démocratique de la « transparence » aiguise l'esprit du soupçon, en paraissant fournir des preuves empiriques de la théorie du complot, mais elle finit par rendre le soupçon infini et le transforme en mode de perception ordinaire des événements. La « publicité » démocratique n'est jamais suffisamment éclairante pour éliminer tout soupçon de « manipulation ». En mettant tout en lumière, même l'occulte, la société de l'information et de la communication travaille à produire une obscurité plus profonde, à créer de l'inconnu plus lointain, elle laisse entendre sans l'avoir voulu que la réalité est tout autre que ses apparences, ou que « la vérité est ailleurs ». La clarté attendue des « révélations » devient une machine à engendrer de l'obscur. Et la fermeture sur soi du monde des élites paraît fournir une preuve supplémentaire de la thèse du complot, en vertu de l'évidence : qui se cache a certainement quelque chose à cacher. Si « on nous cache tout », c'est la faute aux élites, aux puissants, aux « maîtres du monde ». Le citoyen ordinaire se sent exclu du monde où les décisions sont prises, ignorant des raisons qui les motivent, impuissant face à la marche du monde.

En l'absence de fondements absolus susceptibles de donner sens à l'action et faute de grands récits répondant à la question du sens global de l'Histoire, la tentation est grande de s'abandonner à la logique du soupçon. De l'incertitude non affrontée ni même assumée naît le soupçon, qu'il faut considérer comme une question ou une interrogation inquiète portée sur les causes des malheurs des hommes : qui est derrière ? quelle est l'identité des responsables ? Le soupçon tend à être infini. Dénué de terme et sans frontières. Par son caractère anxiogène, il pousse les soupçonneux et suspicieux à chercher une réponse globale et définitive, qui mette un terme au questionnement. L'une des réponses possibles, et satisfaisantes pour beaucoup, est que ces malheurs sont dus à des complots, voire à un grand complot. Tout s'explique enfin, et les esprits s'apaisent, devant la certitude offerte par l'évidence du « mégacomplot ». Mais ils peuvent aussi s'exalter : croire au complot mondial, c'est en même temps croire qu'on peut y mettre fin en le révélant, en dévoilant le plan caché des conspirateurs et en démasquant ces derniers. Ce qui revient à pouvoir se défendre contre la menace, voire à éliminer les sources de la menace. Le recours à l'idée de complot permet donc, à ceux qui la professent comme un dogme, de croire connaître « la cause de nos maux », tout en leur donnant l'assurance de pouvoir agir sur et contre la cause diabolique – il suffit d'identifier et de nommer publiquement les responsables ou les coupables.

À l'idéologie du complot on reconnaîtra une fonction cognitive (elle fournit un « savoir » sur les responsables du mal) et une fonction pratique ou pragmatique (elle donne les moyens d'effacer magiquement, en la dévoilant, la cause des malheurs du monde). En outre, le dogme du complot efface l'imprévisibilité de l'Histoire : il fournit à bon compte le sentiment de pouvoir prévoir l'avenir, sur la base d'une connaissance supposée des causes profondes de la marche du monde, qui se réduisent aux mauvaises intentions des conspirateurs. Illusion suprême, certes, mais sentiment réel : celui d'une maîtrise intellectuelle de la suite des événements. L'idée de complot offre un puissant moyen de faire renaître de la certitude dans une époque qui en manque dans tous les ordres de la pensée, de l'action et de la création. Mais, par un paradoxe constitutif, la croyance au complot approfondit l'incertitude, accroît le désarroi et intensifie l'anxiété, en laissant entendre que tout complot visible cache un complot invisible, échappant à la connaissance ordinaire. L'abbé Barruel (1741-1820), dans ses *Mémoires pour servir à l'histoire du jacobinisme* (1797-1798), posait une distinction entre les loges maçonniques, secrètes mais accessibles, et les « arrière-loges », ultra-secrètes et inaccessibles : cette distinction est applicable à toutes les « sociétés secrètes » et à tous les groupes de conspirateurs[1].

Une lutte pour le pouvoir sans scrupules

Du point de vue des gouvernants, les complots sont d'abord des entreprises de subversion de l'ordre établi :

1. Voir Taguieff, 2005, pp. 13-36. Sur l'antimaçonnisme, voir Lemaire, 1985 et 1998.

le complot subversif moderne par excellence, c'est le complot révolutionnaire pour la conquête du pouvoir, dont les acteurs sont les membres d'une minorité active (Illuminés de Bavière, Carbonari, etc.)[1]. Mais, du point de vue des minorités conspiratrices, les complots sont d'abord des complots répressifs organisés par le pouvoir en place, car ce dernier, face à la menace, est voué à organiser des contre-complots au nom de la défense de l'ordre politique ou de la « sécurité nationale ». Les jeux du complot sont ceux de la subversion et de la contre-subversion (« répression ») autour de la possession du pouvoir, ouvrant le mauvais infini de la lutte concurrentielle. Le monde politique dans lequel sont jetés les citoyens des sociétés pluralistes modernes peut donc être sommairement qualifié de « machiavélien » : un monde régi par les conflits de forces et les rivalités d'intérêts, autour d'un enjeu principal, le pouvoir. L'idée de bien commun ne fonde plus l'action politique, elle n'est présente que dans les effets oratoires des démagogues modernes, qui ne se soucient que du pouvoir, à conquérir ou à conserver par tous les moyens. Rien ne lie plus les membres de la société politique que les interactions concurrentielles et conflictuelles dans un espace axiologiquement plat : les actions mimétiques d'acteurs égoïstes mus par leurs intérêts mutuellement exclusifs remplacent la référence unificatrice à un ensemble de valeurs communes. Les appels à la transcendance, c'est-à-dire à ce qui transcende les rapports de force, résonnent

1. Roberts, 1979.

comme des formules creuses. Les nobles idéaux et les belles formules ne sont que des instruments de la lutte pour le pouvoir : des moyens de tromper. Dans sa *Psychologie des foules,* Gustave Le Bon a théorisé l'instrumentalisation stratégique des nobles sentiments et des mots sublimes (« liberté », « égalité », fraternité », « justice »)[1].

C'est très exactement le monde décrit par les *Protocoles des Sages de Sion,* plagiat partiel d'un suggestif *Dialogue aux Enfers entre Machiavel et Montesquieu*[2] dont seuls les discours attribués à Machiavel sont placés dans la bouche du « Sage de Sion » qui s'adresse à ses pairs pour résumer leur vision du monde et leur programme de conquête[3]. Ce dernier sort des limites fixées par le machiavélisme classique : il ne s'arrête pas à la prise du pouvoir d'État, mais vise le gouvernement du monde. La démesure du projet de conquête est la marque propre de ce faux dans lequel fusionnent le mythe moderne du complot mondial et la vision « réaliste » ou « désenchantée » de la politique léguée par Machiavel aux Modernes. L'espace de la politique est dès lors entièrement occupé par les usages de la force et les pratiques de la ruse. Les fondements moraux de l'action politique sont sapés, la transcendance de la Loi effacée. Tout pouvoir devient aussi redoutable

1. Le Bon, 1895. Voir Taguieff, 2004a, pp. 119-131.
2. Il s'agit bien sûr du célèbre ouvrage de Maurice Joly, publié à Bruxelles en 1864 (Joly,1987).
3. Voir mon étude critique sur les *Protocoles des Sages de Sion* (Taguieff, 2004a, pp. 427-473), dans laquelle sont mis en évidence, par un montage de textes, les emprunts « machiavéliens » du faussaire au *Dialogue* de Maurice Joly.

qu'injuste. Le monde se remplit de forces maléfiques, sans qu'on les puisse croire maîtrisables par les garants du Bien. Voilà un monde qui fait peur. L'invisible qui terrifie revient, avec les destructions et les massacres semblant dénués de sens de la Révolution française et des guerres napoléoniennes, suivies par d'autres révolutions et d'autres guerres. L'ouvrage de l'abbé Barruel, après coup, fournit l'explication la plus facilement assimilable : le complot jacobino-maçonnico-illuministe. Premières expériences modernes de ce qui se passe sous le ciel des grandes et nobles idées (liberté, égalité, fraternité, tolérance, progrès) : l'invention de l'ennemi absolu et des guerres d'extermination. Ces expériences sont répétées lors de la Première Guerre mondiale, à l'issue de laquelle les *Protocoles des Sages de Sion* (donc après coup) paraissent tout expliquer. L'essentiel est de pouvoir donner un sens global aux événements.

De la science-fiction d'épouvante

De ces peurs, de ces frayeurs, voire de ces angoisses liées à l'entrée dans une modernité pourtant transfigurée par la marche mythique vers le progrès sans fin, témoigne le fantastique, genre qui, dans ses figures littéraires et picturales, esthétisant les inquiétudes et « poématisant » l'incertain, est né avec la réaction romantique contre la rationalisation du monde, parallèlement à l'occultisme, forme moderne prise par l'ésotérisme au XIXe siècle[1].

1. Voir Laurant, 1993 ; Faivre, 1996 et 2002 ; Taguieff, 2005, pp. 273 *sq.*

La science-fiction d'épouvante, surgissant à la fin du même siècle, ajoutera ses ténèbres pseudo-scientifiques aux ténèbres anti-scientistes du fantastique. À la suite de la « rumeur de Roswell » (1947), et s'en inspirant, des romans et des films de science-fiction ont exploité les représentations complotistes des envahisseurs extraterrestres en les mêlant aux hantises d'un complot communiste, largement répandues à l'époque de la guerre froide[1]. Au cours des années 1950, en particulier aux États-Unis, on rencontre l'assimilation du péril rouge à la menace extraterrestre dans de nombreuses œuvres de fiction. L'ufologie conspirationniste, qu'illustre notamment la série télévisée *The X-Files* (« Aux frontières du réel », lancée en 1993), mêlant le complot extraterrestre et le « complot gouvernemental » à l'américaine, a pris le relais dans les trente dernières années du XXe siècle[2]. Le héros du film tiré de la série, l'agent Fox Mulder, définit parfaitement la vision conspirationniste dans laquelle il joue son rôle :

> « Je suis le personnage clef d'une machination gouvernementale, un complot destiné à cacher la vérité au sujet de l'existence des extraterrestres. Une conspiration mondiale, dont les acteurs se trouvent au plus haut niveau du pouvoir et qui a des conséquences dans la vie de chaque homme, femme et enfants de cette planète. [3]»

1. Lagrange, 1996.
2. Fenster, 1999 ; Knight, 2000 ; Ramsay, 2000 ; Barkun, 2003 ; Taguieff, 2005. Illustration : Cooper, 1991, 2004 et 2005.
3. Agent Fox Mulder, *X-Files, le film* (film réalisé par Rob Bowman, 1998).

La force de séduction de la série *X-Files*, dont le message principal est que « la vérité est ailleurs », tient à la conjonction habilement mise en scène du paranormal, de thèmes ufologiques inquiétants et de représentations conspirationnistes, faisant entrer le spectateur dans le monde du complot des puissants (élites cyniques, sans scrupule) et des extraterrestres conquérants et prédateurs, dont l'invisible présence hante de nombreux épisodes de la série. Ce monde inquiétant est régi par la manipulation. D'où la conclusion que la démocratie est une « cryptocratie ». C'est là l'un des indices d'une transformation du modèle conspirationniste dans les sociétés occidentales de l'après-1945 : sans cesser d'être particulièrement virulentes dans les extrémismes de gauche et de droite, les hantises conspirationnistes, longtemps fixées sur des figures étrangères diabolisées (d'où la forte dimension xénophobe du conspirationnisme classique), visent de plus en plus souvent l'État ou les grandes organisations internationales, soupçonnés ou accusés de cacher leurs véritables objectifs, leurs plans secrets, leurs connivences souterraines. La méfiance et le soupçon des citoyens vis-à-vis du gouvernement ou de l'establishment viennent relayer, au moins en partie, les représentations conspirationnistes de l'étranger ou de l'« apatride[1] ». Les puissances occultes malfaisantes sont pour ainsi dire rapatriées ou internalisées : la mythologie américaine très élaborée depuis les années 1950 du

1. Voir Inglehart, 1987 ; Campion-Vincent, 2005a et 2005b ; Renard, 2006, pp. 69-70.

« gouvernement secret » dans le gouvernement officiel en fournit la meilleure illustration.

3. Le mythe moderne du complot : représentations de base

Commençons par fixer le sens des mots « complot » (et/ou « conspiration ») et « complotisme » (« théorie du complot » ou « conspirationnisme »). Un complot est un projet concerté secrètement contre la vie ou la sûreté de quelqu'un ou d'un groupe de personnes, ou contre une institution. Il présuppose l'existence d'un accord secret ou d'une entente secrète entre plusieurs personnes, qu'on appelle souvent conspiration, accord ou entente dirigé(e) contre quelqu'un ou quelque chose. Il n'est point de complot sans intention de nuire ni sans manœuvres secrètes concertées. Mais certains complots sont organisés en vue de réaliser des objectifs tels que prendre le pouvoir ou acquérir des richesses. Le « complotisme » ou « conspirationnisme » (la « théorie du complot », « *conspiracy theory* ») est la vision du monde dominée par la croyance que tous les événements, dans le monde humain, sont voulus, réalisés comme des projets et que, en tant que tels, ils révèlent des intentions cachées – cachées, parce que mauvaises. Les adeptes de la « théorie du complot » croient que le cours de l'Histoire ou le fonctionnement des sociétés s'expliquent par la réalisation d'un projet concerté secrètement, par un petit groupe d'hommes puissants et sans scrupule (une super-élite internationale), en vue de conquérir un ou plusieurs pays, de dominer ou d'exploiter tel ou tel peuple, d'asservir ou d'exterminer les représentants d'une civilisation. Point de complot sans manipulations secrètes qui, dues à des individus liés entre eux ou à des organisations, engendrent des événements ou des séries d'événements. Le « vaste complot » ou la « grande conspiration » sont perçus comme la force motrice de l'Histoire, la principale cause productrice des événements. Telle est la représentation centrale de ce que Richard Hofstadter a caractérisé comme le « style paranoïaque » ou « paranoïde » (« *paranoid style* ») dans le champ politique[1]. La croyance à l'action invisible de forces cachées (« obscures » ou « ténébreuses »), de puissances occultes et d'influences secrètes donne aux esprits conspirationnistes l'illusion de pénétrer dans les « coulisses » de l'histoire officielle et visible, pour y apercevoir les véritables acteurs de l'Histoire.

Croire à la grande conspiration, c'est croire qu'on possède les moyens de « tout expliquer jusqu'au moindre événement en le déduisant d'une seule prémisse[2] ». La vision du complot, lorsque le complot dénoncé est supposé mondial, joue ainsi le rôle de clef de l'Histoire. Karl Popper a élaboré un modèle de la « théorie sociologique du complot » qu'il suppose, à juste titre, fort répandue dans la modernité : « Celle-ci [la théorie sociologique du complot] est fondée sur l'idée que tous les phénomènes

1. Hofstadter, 1996, p. 29.
2. Voir Arendt, 1972, pp. 215-216.

sociaux – et notamment ceux que l'on trouve en général malvenus, comme la guerre, le chômage, la pauvreté, la pénurie – sont l'effet direct d'un plan ourdi par certains individus ou groupements humains. [1]» La vision conspirationniste peuple le monde d'ennemis absolus, absolument redoutables parce que puissants et dissimulés. Les ennemis imaginaires, pour qui les fins justifient tous les moyens, sont diabolisés : des «judéomaçons», des «judéocapitalistes» et des «judéobolcheviks» d'hier aux «américano-sionistes» d'aujourd'hui. La théorie du complot, qui postule que la manipulation mène l'Histoire, fonctionne de concert avec la diabolisation. La «mondialisation» est aujourd'hui souvent dénoncée, par ceux qui prétendent parler «au nom des peuples», sous l'angle de la conspiration universelle : les «véritables maîtres du monde», soit les puissants invisibles censés manipuler et contrôler tous les aspects de la vie des humains, seraient derrière la mise en place d'un «nouvel ordre mondial» favorable à leurs intérêts[2]. La dénonciation populiste des élites cosmopolites trouve dans la vision du complot un puissant véhicule rhétorique, qui complique le tableau paranoïaque : car les élites en place, récusées en tant qu'illégitimes, apparais-

1. Popper, 1985, p. 497.
2. Illustration : Ziegler, 2002. Les «maîtres de l'univers» (p. 17) sont bien sûr «les seigneurs du capital mondialisé» (p. 15).
Un marxisme grossier, inséparable d'un antiaméricanisme rabique, continue de tenir lieu de pensée à des tiers-mondistes figés dans leur attente des «lendemains qui chantent» après la destruction de «l'empire du mal».

sent elles-mêmes comme des « marionnettes » des « forces obscures ».

Quatre principes de structuration

Quatre principes structurent les croyances conspirationnistes[1] :

1° Rien n'arrive par accident. Rien n'est accidentel ou insensé[2], ce qui implique une négation du hasard, de la contingence, des coïncidences fortuites. Toute coïncidence est significative et a valeur de révélation.

2° Tout ce qui arrive est le résultat d'intentions ou de volontés cachées. Des intentions mauvaises, des volontés malveillantes, les seules qui intéressent les esprits conspirationnistes, voués à privilégier les événements malheureux, les bouleversements, les catastrophes. Tout événement a été pour ainsi dire programmé. « Le hasard n'est pas de la partie », affirme le préfacier anonyme du pamphlet de William Guy Carr, *La Conspiration mondiale* [...][3]. Dans un article paru en 1969, Jacques Ploncard d'Assac postule : « Rien n'arrive jamais qui n'ait été préparé au grand jour ou dans l'ombre[4]. » Tout bouleversement politique ou économique a été planifié. Gary Allen, au début de son

1. Voir Barkun, 2003, pp. 3-4.
2. Pipes, 1997a, pp. 44-45.
3. Carr, 1998, p. 3 (texte de présentation non signé, intitulé « L'auteur », attribuable soit à l'éditeur, Jacques Delacroix, lui-même auteur conspirationniste, soit au traducteur, présenté comme « un ami du Christ-Roi »).
4. Ploncard d'Assac, 1988, p. 220.

best-seller de 1971, énonce : « La plupart des événements mondiaux majeurs résultent de la réalisation d'un plan[1]. » Ils ont donc été voulus et conçus par quelqu'un ou par un groupe d'individus. Il s'ensuit que celui qui tire avantage d'un événement peut être logiquement accusé d'en être l'auteur, le co-auteur ou le facilitateur. Variante de la règle censée permettre aux esprits limités de découvrir à coup sûr le coupable : « À qui profite le crime ? ». On trouve une multitude d'exemples d'argumentation complotiste, fondés sur cette règle, concernant les bouleversements révolutionnaires modernes. Premier exemple : la Révolution française a émancipé les Juifs, donc les Juifs ont fait ladite Révolution[2]. C'était le principe de l'argumentation antisémite d'un Drumont qui, au tout début de *La France juive*, posait comme une évidence : « Le seul auquel la Révolution ait profité est le Juif. Tout vient du Juif ; tout revient au Juif. [3]» Autre exemple relevant de l'histoire drôle : à la question « Quelle est la cause cachée de la prolifération des États ? », la réponse complotiste est qu'il faut la débusquer dans l'action manipulatrice des collectionneurs de timbres qui fomentent des révolutions pour faire surgir de nouvelles nations et donc de nouveaux timbres[4]. La leçon à tirer de ces deux exemples est qu'il faut se méfier autant des Juifs que des collectionneurs de timbres ! Cette caractéristique n'avait pas échappé à Karl Popper : « Selon la

1. Allen, 1971, p. 8.
2. Voir Pipes, 1997a, p. 43.
3. Drumont, 1886, t. I, introduction, p. VI.
4. Voir Pipes, 1997a, p. 145 ; Campion-Vincent, 2005a, p. 161.

théorie de la conspiration, tout ce qui arrive a été voulu par ceux à qui cela profite. [1]»

3° Rien n'est tel qu'il paraît être. Les apparences sont donc toujours trompeuses[2]. Tout est masque, donc à démasquer. Les conspirateurs savent se déguiser et travestir leurs projets. Les ennemis réels ou véritables ne sont pas nécessairement les plus visibles, ils sont même le plus souvent des ennemis cachés. Quant aux amis, il convient de s'en méfier. Les pires ennemis savent se travestir en amis proches.

4° Tout est lié, mais de façon occulte. L'interprète doit donc s'efforcer de «désocculter» les relations entre forces obscures. Les liaisons invisibles doivent être dévoilées ou décryptées. C'est pourquoi celui qui croit au complot doit s'engager dans une quête infinie des indices d'interconnexions cachées. Plus le complot est vaste, plus il se rapproche du «complot mondial», plus le travail symptomatologique prend de l'importance. Le visionnaire complotiste doit se montrer sensible aux moindres indices et être capable d'interpréter les signes les plus ténus, les traces les moins identifiables, les signaux les plus indirects, les détails les plus insignifiants – ceux-là même qui sont les plus révélateurs. Son travail relève bien du «paradigme de l'indice» et ressemble à s'y méprendre (mais il faut s'en garder!) aux investigations du chasseur, du policier qui enquête, de l'ethnographe se faisant «cryptanalyste»

1. Popper, 1979, t. 2, p. 68.
2. Pipes, 1997a, p. 45.

face à une société dont il ne connaît ni la langue ni les règles élémentaires de fonctionnement, et bien sûr du psychanalyste[1]. Mais, faute de critères définis – mieux : définissables –, le « complotomane » est voué au décodage interminable. Le démon du soupçon fait couple avec le démon de l'analogie. Toute interprétation est vouée à rebondir en une autre, à être elle-même réinterprétée, sans fin. Car les indices sont contradictoires et les pistes multiples. Exemple : derrière la Révolution bolchevique, le conspirationniste découvre à la fois l'athéisme et le matérialisme du mouvement communiste, la main invisible des francs-maçons, le pouvoir financier des « banquiers internationaux », la politique secrète de Guillaume II, la volonté de revanche des Juifs, décidés à détruire la Russie impériale, bastion de la « civilisation chrétienne », etc.

Décomposer la « théorie du complot » : de la simple peur au mythe élaboré

Ce qu'il est convenu d'appeler, d'une façon peu satisfaisante, la « théorie du complot » (« *conspiracy theory* », « *Verschwörungstheorie* »)[2] désigne, dans l'indistinction, diverses attitudes (sentiments ou perceptions), croyances (ou

1. Voir Ginzburg, 1980 (1989).
2. Dans les études savantes, l'expression est parfois mise au pluriel : « théories du complot », « *conspiracy theories* » (ou « *plot theories* »), « *Verschwörungstheorien* ». Voir Gugenberger/Petri/Schweidlenka, 1998 (qui étudient les « théories du complot mondial » : « *Weltverschwörungstheorien* ») ; Pipes, 1997a, pp. 1-19 (chap. 1 : « *Conspiracy Theories Everywhere* ») ; Fenster, 1999 ; Ramsay, 2000.

convictions), perspectives ou systèmes de pensée à prétention explicative, dont l'objet est un complot chimérique. Les visions de complots fictifs peuvent se regrouper sous quatre catégories, allant du moins élaboré au plus élaboré : disons, de l'imaginaire complotiste permettant l'interprétation de faits divers à de grands récits de facture mythique sur l'Histoire ou l'évolution de l'humanité. La mal nommée « théorie du complot » peut donc se dire au moins en quatre sens :

1° La peur d'un complot imaginaire ou les inquiétudes réelles provoquées par des complots qui n'existent pas[1], mais font l'objet de croyances. La « théorie » se réduit ici à l'expression de cette peur. Tel est l'imaginaire minimal du complot. Ce premier sens est présupposé par les trois suivants.

2° L'idée ou l'hypothèse du complot : on suppose, face à des événements historiques perçus comme opaques ou absurdes, qu'ils pourraient s'expliquer par un ou plusieurs complot(s), donc en dernière analyse par des intentions et des actions humaines[2]. Mais l'hypothèse n'est pas ici limitée par un doute méthodique ou par le recours à l'expérimentation : elle se métamorphose en thèse. L'idée de complot fonctionne comme modèle d'intelligibilité allant

1. « Une *théorie du complot* [*conspiracy theory*] est la peur d'un complot inexistant. *Complot* désigne une action, *théorie du complot* une perception » (Pipes, 1997a, p. 21). Disons plutôt : une vision, ou un mode d'interprétation, allant de la simple perception à la conception élaborée.

2. Voir, sur la « *Verschwörungshypothese* », l'analyse de Pfahl-Traughber, 2002, pp. 30-31.

de soi et dont l'usage engendre des bénéfices psychiques. L'application du modèle du complot semble faire entrer dans l'ordre de l'explicable et du rationnel des événements qui paraissaient relever du hasard.

3° L'idéologie du complot : elle se fonde sur la conviction que les processus sociaux, ceux qui sont censés engendrer la misère du monde ou les malheurs de l'humanité, s'expliquent nécessairement par des manipulations dues à des groupes occultes agissant secrètement et avec malveillance, sur la base de plans, de programmes ou de projets[1]. Ces groupes occultes sont imaginés comme étant aussi puissants que malveillants, ce qui constitue une base fantasmatique pour leur diabolisation.

4° Le mythe du complot ou la mythologie conspirationniste, qui se constitue autour de la thèse selon laquelle les complots ont fait, font et feront l'Histoire[2], c'est-à-dire constituent la clé de l'Histoire. Les complots sont le moteur de l'Histoire : tel est le dogme sur lequel repose l'édifice mythique. Et, puisque le complot est nécessairement mondial, les comploteurs sont des sujets universels : Jésuites, francs-maçons, Juifs, communistes, capitalistes « apatrides », « banquiers internationaux », etc. Que l'espace et le temps du complot soient ceux de l'histoire universelle, que le complot puisse être « délocalisé » pour être fictionné comme mondial, c'est là une invention narrative attribua-

1. Sur le concept d'« idéologie du complot », les principales idéologies complotistes et leurs fonctions, voir Pfahl-Traughber, 2002, pp. 32-39.
2. Voir Pipes, 1997a, pp. 43-44.

ble à l'époque moderne, inséparable du surgissement des « philosophies de l'histoire » dans la seconde moitié du XVIIIe siècle et de l'explosion conspirationniste déclenchée par la Révolution française. C'est avec les premières interprétations polémiques de la Révolution française que s'opère l'entrée dans la galerie des miroirs, où le complot ne peut être aperçu sans ses doubles[1] : complots respectivement jésuitique, janséniste, « Illuministe », franc-maçon, néo-templier, aristocratique, clérical, jacobin, etc.[2] Les croisements du complotisme et de l'ésotérisme moderne (« occultisme », grosso modo) se rencontrent à ce niveau, autour de deux noyaux : l'idée de correspondance et la vision de la nature vivante (ou le postulat que tout est lié organiquement)[3].

La mythologie des sociétés secrètes

Il n'est point de conspiration, maçonnique, juive ou judéo-maçonnique sans « sociétés secrètes », peuplées d'initiés ou d'« Illuminés », stigmatisés par l'abbé Barruel en 1797-98 comme « les ennemis de la race humaine et les fils de Satan ». Lutter contre de tels ennemis, c'est avant tout révéler leurs machinations : la littérature antijuive moderne se présente comme une littérature conspirationniste, répondant à la demande sociale de « révélations », notamment par le dévoilement de « complots », de « machi-

1. Voir Poliakov, 1980 et 2006.
2. Voir Taguieff, 2004a et 2005.
3. Taguieff, 2005, pp. 273-274 (avec les références aux travaux d'Antoine Faivre, 1996 et 2002).

nations » ou de « manipulations ». Cette demande est portée par le sentiment diffus qu'« on nous cache quelque chose », le « on » désignant ceux d'en haut, les élites corrompues ou la super-élite invisible. Visant à satisfaire cette demande de dévoilement et de démasquage, les théoriciens conspirationnistes fabriquent des complots universels qu'ils peuvent faire remonter jusqu'aux Templiers, à la fondation de l'ordre des Jésuites ou aux Illuminés de Bavière[1]. Ces généalogies mythiques comportent des listes de fondateurs, de précurseurs, de transmetteurs ou de continuateurs qui prennent un grand nombre de nouveaux visages : à la franc-maçonnerie, à l'Alliance israélite universelle et au B'nai B'rith se sont ajoutés au XXe siècle la Société des nations, la Commission Trilatérale, le groupe de Bilderberg, les Skull and Bones, le Council on Foreign Relations (CFR), etc.[2] Point de « péril juif » (ou « judéomaçonnique ») sans organisations secrètes, dans lesquelles s'activent des puissances invisibles et ténébreuses[3] qui noyautent les lieux de pouvoir. Le mythe répulsif du « péril juif » se nourrit de la mythologie des sociétés secrètes censées gouverner le monde, ce qui présuppose la thèse d'une manipulation occulte, satanique en dernière instance, des décisions et des actions humaines[4].

1. Partner, 1992; Le Forestier, 2001 ; Taguieff, 2005, pp. 13 *sq.*, 109 *sq.*; Signier, 2005, pp. 88-93, 142-145.
2. Voir Vankin, 2001 ; Cooper, 1991, chap. II (« Secret Societies and the New World Order »), en partic. pp. 80-90 (texte mis en ligne par plusieurs sites sous le titre « Secret Societies/New World Order ») ; Cooper, 2004, pp. 39-40.
3. Voir surtout Roberts, 1979.
4. Roberts, 1979, p. 337. L'historien britannique caractérise les

Ces sociétés secrètes sont imaginées sur le modèle d'une franc-maçonnerie diabolisée, d'une super-maçonnerie ultra-secrète fictionnée comme organisation satanique : le discours antimaçonnique de la fin du XVIIIe siècle précède en ce sens le discours antijuif conspirationniste, en lui fournissant une structure d'accueil. L'abbé Barruel donne, dans ses *Mémoires*, la formulation canonique de la lecture conspirationniste de l'histoire moderne, en tant qu'elle devait aboutir à la Révolution française, effet et preuve du complot maçonnique :

> « Dans cette Révolution française, tout jusqu'à ses forfaits les plus épouvantables, tout a été prévu, médité, combiné, résolu, statué : tout a été l'effet de la plus profonde scélératesse, puisque tout a été préparé, amené par des hommes qui avaient seuls le fil des conspirations longtemps ourdies dans des sociétés secrètes, et qui ont su choisir et hâter les moments propices aux complots. [1]»

Toute trace de hasard est ainsi éliminée de l'Histoire. Tout s'explique par les complots et les « mégacomplots ». Et que Barruel, dans le passage cité, répète avec une telle

---

Mémoires de l'abbé Barruel comme « la bible de la mythologie des sociétés secrètes, et la base indispensable de la future littérature antimaçonnique » (Roberts, 1979, pp. 191-192).

1. Barruel, 1973, t. I, p. 42. On trouve le même modèle déterministe et conspirationniste chez l'Écossais John Robison (1739-1805), dans son livre paru en 1797 (1ère éd. anglaise), traduit en français dès 1799 sous le titre : *Preuves de conspirations contre toutes les religions et tous les gouvernements de l'Europe ourdies dans les assemblées secrètes des Illuminés, des Francs-Maçons et des Sociétés de lecture* (Londres, 2 vol.). Voir Taguieff, 2005, pp. 138-139.

insistance le mot « tout », cela montre que, dans sa vision, rien n'échappe à la prédétermination, à la prévision ou à la programmation. Un lointain disciple de Barruel, Maurice Talmeyr, dans un opuscule intitulé *La Franc-Maçonnerie et la Révolution française*, paru en 1904, réaffirme la thèse de la mise en scène et du déroulement programmé des événements par la franc-maçonnerie :

> « Il n'est peut-être pas une seule des grandes journées de la Révolution qui n'ait pas été, plus ou moins longtemps à l'avance, machinée et répétée dans les Loges, comme on répète et comme on machine une pièce dans un théâtre... Suivez donc avec un peu d'attention les faits [...], et vous verrez, comme de vos yeux, tout un grand pays violemment transformé, par la plus grande évidence des conspirations, en une immense et véritable Loge. Vous le verrez jeté par force dans toute une succession d'épreuves maçonniques graduées [...].[1] »

Dans son ouvrage antimaçonnique paru en 1893, *La Franc-Maçonnerie, synagogue de Satan*, Mgr Léon Meurin affirmait sans ambages que « tout ce qui se trouve dans la franc-maçonnerie est foncièrement juif, exclusivement juif, passionnément juif, depuis le commencement jusqu'à la fin[2] ». Plus précisément, Meurin décrivait la franc-maçonnerie comme un simple instrument des Juifs, occupés à réaliser leur projet de conquête du monde : « La franc-maçonnerie n'est qu'un outil entre les mains des Juifs qui

1. Talmeyr, 1904, p. 2. Cet essai de Talmeyr est cité par l'un des premiers diffuseurs des *Protocoles des Sages de Sion*, Georges V. Boutmi (Boutmi, 1922, p. 16).
2. Meurin, 1893, p. 260.

y tiennent la haute main[1]. » L'histoire politique moderne est tout entière explicable par le complot judéo-maçonnique :

> « L'histoire ne manquera pas de raconter un jour que toutes les révolutions des derniers siècles ont leur origine dans la secte maçonnique, sous la direction suprême des Juifs. Ceux qui entrent dans la loge participent, sciemment ou inconsciemment, à la guerre de la Synagogue moderne contre les trônes et les autels de nos patries.[2] »

Les premières figures historiques prises par la vision du « mégacomplot » sont celles des complots respectivement jésuitique et maçonnique ou jacobino-maçonnique, ce dernier s'étant métamorphosé au XIXe siècle en complot judéo-maçonnique. Ces configurations complotistes sont devenues les modèles respectifs du complot contre-révolutionnaire (puis « fasciste » au XXe siècle) et du complot révolutionnaire (puis « bolchevik » ou « judéo-bolchevik » au XXe siècle). Le « mégacomplot », tel qu'il a été théorisé dans les milieux de l'extrême droite dans les années 1920 et 1930, inclura le complot judéo-bolchevik (« l'Internationale du sang ») et le complot judéo-capitaliste ou judéo-ploutocratique (« L'Internationale de l'or »)[3]. La génération suivante des écrivains complotistes, surtout après 1945, opérera une réinterprétation du « mégacomplot », fort attrayante pour le public spécialisé : bolche-

1. Meurin, 1893, p. 260.
2. Meurin, 1893, p. 196.
3. Illustrations : Poncins, 1932 et 1936; Malynski/Poncins, 1936 (1940).

visme et nazisme seront expliqués par les activités des mêmes puissances internationales occultes.

Le « complot jésuite »

Mais il faut revenir sur le proto-modèle historique du complot mondial : le « complot jésuite », fabriqué aux XVIIe et XVIIIe siècles sur la base des rumeurs hostiles colportées dès le XVIe siècle sur la Société de Jésus. Le « mythe jésuite » ou plutôt antijésuite, mythe répulsif dont le noyau était la dénonciation du « complot jésuite » (ou « jésuitique »), a été élaboré notamment à partir d'un faux confectionné par un novice polonais chassé de la Société de Jésus au début du XVIIe siècle[1]. Compte tenu de ses usages récurrents dans la polémique anticatholique, et du fait qu'il a servi de modèle formel à la fabrication d'autres faux (antimaçonniques ou antijuifs), l'histoire de ce document doit être rappelée dans ses grandes lignes. Le faux jésuitophobe que fabriqua en 1612 ce prêtre chassé de l'Ordre l'année précédente, un certain Hieronim (Jérôme) Jawrowski, se présentait comme une correspondance privée prétendument interceptée, rendue publique parce qu'elle aurait été révélatrice des arrière-pensées de la Compagnie de Jésus. Cette correspondance était censée dévoiler les instructions secrètes données par le général des Jésuites pour assurer la domination universelle de la Compagnie et accroître sa fortune par tous les moyens, justifiant ainsi

1. Pour une analyse comparative de la jésuitophobie et de judéophobie, voir Poliakov, 1980, pp. 53-85.

toutes les fourberies et toutes les violences. La publication de ces « secrets » était présentée comme la preuve enfin administrée de l'existence d'un complot jésuitique. Le faux, publié en latin et anonymement à Cracovie en 1614 (vraisemblablement), fut d'abord diffusé sous le titre de *Monita privata Societatis Jesu* (« Avis privés de la Société de Jésus »), puis, par l'initiative d'un éditeur hollandais avisé, sous celui, plus frappant et assurément plus attrayant, de *Monita secreta Societatis Jesu*, ou *Instructions secrètes de la Société de Jésus*. C'est sous ce titre que, du XVIIIe siècle au milieu du XXe, ce faux antijésuitique, traduit dans la plupart des langues européennes, fut indéfiniment réédité[1]. Il paraissait confirmer les rumeurs diabolisantes qui circulaient sur les Jésuites longtemps avant la parution du faux, comme l'atteste cette diatribe du célèbre avocat Étienne Pasquier, dans un livre publié en 1602 : « Il y avait dans la jésuiterie beaucoup de juiverie ; voire que tout aussi que les anciens Juifs avaient fait le procès à notre Seigneur Jésus-Christ, ainsi ces nouveaux Juifs en faisaient autant aux Apôtres.[2] » La représentation polémique des Jésuites comme « nouveaux Juifs » montre qu'ils sont construits les uns et les autres comme rejetons du diable, dans le cadre d'une démonologie les accusant d'être des « conspirateurs » et des « assassins »[3].

1. Voir Rollin, 1939, pp. 31-32 (1991, pp. 28-31) ; Poliakov, 1980, pp. 59 *sq.* ; Leroy, 1992.
2. Pasquier, 1602, p. 78 (cité par Poliakov, 1980, p. 57).
3. Poliakov, 1980, p. 58.

En octobre 1933, le militant et journaliste libertaire André Lorulot publie dans sa revue trimestrielle, *La Documentation antireligieuse*, les *Monita secreta*, précédés d'une longue préface qui trahit ses hantises, en particulier celles de l'ennemi insaisissable et du plan secret de domination universelle :

> « La lecture des *Monita secreta* permet d'apercevoir les causes de la puissance des Jésuites. [...] Les Jésuites se sont toujours cachés. [...] La Société a des agents un peu partout, qui sont chargés de rechercher certains ouvrages et de les anéantir. C'est ainsi que sont disparus nombre d'ouvrages remarquables. C'est aussi la raison qui fait que les *Monita secreta*, bien qu'ils aient été souvent réédités, restent introuvables. [...] Leur seul but [des Jésuites], c'est la domination universelle. [...] *On les sent partout, on ne les trouve nulle part.* Comment les frapper ? Ils sont insaisissables. Comment se défendre de leurs intrigues ? Ils restent toujours dans l'obscurité. Comment déjouer leurs plans ? Ils ont des émissaires dans tous les partis, qui servent leur politique, qui embrouillent toutes les situations et bernent même les hommes d'avant-garde !... [1] »

Les usages de tels faux se font généralement au nom de la défense d'une bonne cause, impliquant l'impératif d'une lutte sans merci contre la figure du Mal désignée.

1. Lorulot, 1933, pp. 6, 8, 10, 13. Cette vision « arachnéenne » de la puissance jésuitique ne diffère guère des visions conspirationnistes des « Sages de Sion », des « *Illuminati* » ou de la franc-maçonnerie. Les *Protocoles* diffèrent des *Monita secreta* en ce qu'ils ont été rédigés par des Russes antisémites (Matthieu V. Golovinski, sous la direction de Pierre I. Ratchkovski), et non par un Juif converti ou ayant rompu d'une façon quelconque avec le monde juif.

Cette bonne cause justifie tout, à commencer par l'improbité philologique. Le militant anticlérical et antireligieux André Lorulot, confronté à la question de l'authenticité du document, se contente d'affirmer que « les idées contenues dans les *Monita* sont tout à fait conformes à celles des Jésuites[1] », et procède en conclusion à une extension du domaine de la lutte antijésuitique : « Les Jésuites constituent pour le Progrès et pour la Paix une menace effrayante. L'Église catholique, dont ils sont la plus fanatique, la plus intolérante incarnation, n'a pas modifié son état d'esprit [...]. L'Église n'a pas désarmé. Elle est prête à persécuter, aujourd'hui comme autrefois. Elle veut dominer le monde entier [...].[2] » Les propagateurs des *Protocoles des Sages de Sion*, face aux preuves du caractère apocryphe du document, répliquaient également, depuis le début des années 1920, que les idées contenues dans les *Protocoles* étaient conformes à celle des Juifs depuis les origines[3]. C'est l'ultime argument défensif des propagateurs d'un faux à usage politique : peu importe que les *Monita secreta* ou les *Protocoles* soient des documents fabriqués pour tromper et mobiliser contre un ennemi diabolisé, il suffit qu'ils aient un air de famille avec les sujets collectifs (Jésuites ou Juifs) auxquels ils sont attribués. Le faux, censé révé-

1. Lorulot, 1933, p. 9.

2. Lorulot, 1933, pp. 16-17. Depuis les années 1980, l'*Opus Dei* a remplacé la Compagnie de Jésus dans le discours anticatholique radical.

3. Voir, dans Taguieff, 2004a, pp. 75-85, la typologie des arguments sophistiques utilisés par les défenseurs de l'authenticité des *Protocoles.*

ler les terribles secrets de l'ennemi caché, fonctionne dès lors comme une rumeur ou une légende instrumentalisée dans le cadre d'une guerre idéologique.

Anatole Leroy-Beaulieu, dans un livre d'une grande pénétration, *Les Doctrines de haine*, paru en 1902, a procédé à une analyse comparative des doctrines « anti » qui éclaire notamment les analogies fonctionnelles entre l'antisémitisme et l'anticléricalisme, dont il montre la commune dimension paranoïaque (« ils » sont partout et capables de tout) :

> « Avec les mêmes terreurs enfantines ou simulées, ils [l'antisémite et l'anticlérical] cherchent, l'un et l'autre, aux événements des causes occultes, signalant partout la main de spectres mystérieux, l'un découvrant partout le col blanc du jésuite, comme l'autre aperçoit partout l'or du juif. [...] L'anticlérical raisonne tout comme l'antisémite ; il voit, lui aussi, partout, des influences occultes et des moteurs secrets. La différence est que l'un attribue tout au génie corrupteur d'Israël, tandis que l'autre rejette tout sur l'esprit d'intrigue et de domination de Loyola. À les en croire, le juif et le jésuite seraient les deux grands acteurs, ou mieux les secrets protagonistes du grand drame de l'histoire, dont ils font mouvoir les ressorts. [...] C'est que l'antijuif et l'antijésuite sont deux visionnaires, également atteints d'une monomanie soupçonneuse, analogue à la folie des persécutions, qui leur fait voir partout un ennemi secret et omnipotent [...][1]. »

Dans l'antisémitisme russe, à la fin du XIXᵉ siècle, on trouve des traces du « mythe illuministe » tel qu'il s'est

1. Leroy-Beaulieu, 1902, pp. 48, 50-51. Sur la dimension paranoïaque, voir Taguieff, 2005, pp. 102-107.

formé en Europe de l'Ouest. Un document d'une trentaine de pages, intitulé *Le Secret du judaïsme* (ou, plus exactement, *Le Secret des Juifs*), daté de 1895[1], commence à circuler en Russie dès sa publication : l'une des thèses qu'il expose est que, de l'ordre des Templiers à l'ordre des *Illuminati*, les « sociétés secrètes » et les Loges maçonniques furent utilisées par les Juifs à leurs fins propres, jusqu'à ce que le capitalisme fût « habilement pris en main par la juiverie », en même temps que la « malfaisante puissance secrète du judaïsme » exerçait un « rôle dirigeant dans le mouvement révolutionnaire russe »[2]. Les Juifs, tout à la réalisation de leur objectif principal depuis l'époque des Templiers, à savoir la résurrection du Temple de Salomon, menaient une guerre secrète contre « le monde chrétien en général et la Russie en particulier » : « Depuis ce temps, la société secrète juive a essayé, sous divers noms – *Gnostiques*, *Illuminati*, *Rosicruciens*, *Martinistes*, etc. – d'exercer une influence invisible sur le cours de l'histoire juive[3]. » Le document sera remis en circulation en 1905, dans un contexte marqué par la menace d'une révolution. Au moment même où le plus célèbre faux de l'histoire occidentale, les *Protocoles des Sages de Sion*, faisait l'objet de diverses publications[4], dans la double perspective de convaincre le tsar de refuser les réformes « libérales » (dénoncées comme inspirées par

1. Voir De Michelis, 2001, pp. 53-76, pour la traduction italienne de ce document anonyme.
2. Cité d'après Poliakov, 1977, pp. 125-126.
3. Cité d'après Webb, 1981 (1976), pp. 242-243.
4. Voir *infra*.

les Juifs ou les « judéo-maçons ») et de disqualifier le mouvement révolutionnaire aux yeux des masses russes en le réduisant à un projet juif de subversion.

Le décryptage de la Révolution française comme résultat d'un complot judéo-maçonnique constituait l'un des thèmes enseignés officiellement dans les écoles et les universités du Troisième Reich. Dans un ouvrage recommandé par les autorités nazies aux professeurs, on lit par exemple :

> « Si l'on parle de meurtres juifs, en série, il ne faut pas oublier la Révolution française qui commence, en 1789, par la prise de la Bastille. Elle a été, en premier lieu, l'œuvre de la franc-maçonnerie. Des experts compétents ont eu raison de qualifier la franc-maçonnerie de judaïsme artificiel. [...] Les chefs de la Révolution française étaient des francs-maçons. Entre beaucoup d'autres citons Danton, Robespierre et Marat. Ce dernier était même d'origine juive et tous ses actes étaient déterminés par ce fait. C'est ainsi que toute la Révolution sinon directement, du moins indirectement par le truchement des francs-maçons, fut une affaire juive. [1] »

Des « pions sur l'échiquier » aux mains des *Illuminati*

Depuis la fin des années 1950, les professionnels de la littérature complotiste, notamment en Amérique du Nord et en Europe, ont tous été marqués par les ouvrages et les brochures de William Guy Carr, qui tient sa notoriété tardive de *Pawns in the Game*, publié en 1958. Né le 2 juin 1895 et mort le 2 octobre 1959, le Commodore William Guy Carr, ancien officier de la Marine royale canadienne, fut long-

1. Texte cité, sans référence, par Politzer, 1947, p. 54.

temps membre des services de renseignements et se consacra, à partir de 1931, à des tournées de conférences dont le thème principal était la « Conspiration internationale », avec ses deux pôles : le « communisme international » et le « capitalisme international » (incarné par les « banquiers internationaux »). Il reprit du service pendant la Seconde Guerre mondiale, en tant qu'officier de contrôle dans la marine canadienne, puis comme conférencier (1944-1945). Après avoir publié plusieurs ouvrages, principalement sur des questions militaires, Carr a acquis une certaine célébrité dans les milieux conspirationnistes en publiant tardivement son ouvrage principal, *Pawns in the Game* (« Des Pions sur l'échiquier »), rédigé en 1955 et publié en 1958, dans lequel il désigne par le mot « *Illuminati* » les chefs secrets de la « subversion mondiale » visant à instaurer un « Gouvernement mondial » d'essence « totalitaire ». Dans l'introduction de cet ouvrage qui, depuis sa parution, ne cesse d'inspirer la littérature conspirationniste, Carr esquisse une généalogie de la « Conspiration luciférienne » telle que Weishaupt, selon lui, l'aurait réactivée :

> « En 1784, la Providence permit au Gouvernement bavarois d'entrer en possession de preuves qui établissaient l'existence réelle de la Conspiration Luciférienne. Adam Weishaupt, ancien élève des jésuites, professeur de Droit Canon, abandonna le Christianisme et embrassa l'idéologie luciférienne alors qu'il enseignait à l'université d'Ingoldstadt. En 1770, les "prêteurs d'argent" (qui avaient récemment créé la Maison Rothschild) l'engagèrent à réviser et moderniser les vieux *Protocoles* destinés à donner à la Synagogue de Satan la domination mondiale défi-

nitive[1]. Ils avaient l'intention d'imposer l'idéologie luciférienne sur ce qui resterait de la Race Humaine après le dernier cataclysme social, par l'usage du despotisme Satanique. Weishaupt acheva son travail le 1er mai 1776. Le Plan prévoyait la destruction de tous les gouvernements et religions existants[2]. [...] En 1776, Weishaupt organisa les "*Illuminati*" (= Illuminés) afin de mettre à exécution le complot. Le mot *Illuminati* dérive du mot Lucifer et signifie "Porteurs de la Lumière". [...] En 1785, le Gouvernement bavarois déclara les *Illuminati* hors-la-loi et ferma les loges du Grand Orient. En 1786, il publiait les pièces de la Conspiration. Le titre anglais est "*The Original Writings of The Order and Sect of Illuminati*". On expédia des exemplaires de la conspiration aux dirigeants de l'Église et de l'État. La puissance des *Illuminati* était si grande qu'on ignora cet avertissement comme le furent ceux que le Christ avait donnés au monde. Les *Illuminati* passèrent ensuite à l'"arrière-plan". Weishaupt donna des instructions à ses Illuminés pour infiltrer les Loges de la Maçonnerie Bleue et constituer une société secrète à l'intérieur des sociétés secrètes[3]. Seuls les maçons qui donnèrent des gages de leur Internationalisme et ceux dont la conduite prouvait qu'ils s'étaient détachés de Dieu furent initiés chez les Illuminés. Ainsi, les conspirateurs utilisaient le paravent de la Philanthropie pour cacher leurs acti-

1. Carr reprend ici à son compte la thèse de l'ancienneté des *Protocoles des Sages de Sion*, présenté comme un texte judéo-maçonnique ayant fait l'objet de plusieurs « révisions » avant sa publication en Russie en 1903 et 1905, sous sa forme la plus connue. On trouve différentes variantes de cette thèse, les dernières en date étant celles de Baigent, Leigh et Lincoln dans *L'Énigme sacrée* (1983, pp. 180-181) et de Jan Udo Holey (*Livre jaune n° 5*, pp. 73-88 ; *Livre jaune n° 6*, pp. 151-161 ; *Livre jaune n° 7*, pp. 27-29).
2. Voir la brochure de Carr, 1998.
3. « Précisions » qui relèvent de la « légende Illuminée » dont René Le Forestier a étudié la formation (Le Forestier, 2001, pp. 613 *sq.*).

vités révolutionnaires et subversives. [1] [...] L'insigne de l'Ordre des *Illuminati* est inscrit sur la gauche du billet de 1 dollar. Il fut adopté par Weishaupt lorsqu'il fonda l'ordre, le 1er mai 1776. C'est cet événement qui est symbolisé par le MDCCLXXVI à la base de la pyramide et non pas la date de la signature de la Déclaration d'Indépendance comme les personnes non informées ont pu le supposer. La signification du symbole est la suivante : la pyramide représente la conspiration pour la destruction de l'Église catholique et l'établissement du "Gouvernement mondial" ou dictature des Nations-Unies[2]; c'est le "secret" de l'Ordre. [...] "ANNUIT COEPTIS" signifie "Notre entreprise (la conspiration) a été approuvée, couronnée de succès". Au-dessous, "NOVUS ORDO SECLORUM" explique la nature de l'entreprise : la signification en est "Un Nouvel Ordre Social" ou une "Nouvelle Donne" (*New Deal*). Il faut savoir que cet insigne a été utilisé par la Franc-Maçonnerie seulement après la fusion avec l'Ordre des *Illuminati* au Congrès de Wilhelmsbad, en 1782[3]. [...] Il fut imprimé la

1. Ce passage est extrait du début de l'introduction du livre de Carr, intitulée « La conspiration mondiale » (pp. 11-29) et datée du 13 octobre 1958. Le passage qui suit (situé entre l'introduction et le chapitre I, intitulé « Le Mouvement Révolutionnaire Mondial – M.R.M. – »), se présente comme un commentaire explicatif des symboles (la pyramide et l'œil irradiant placé au sommet de celle-ci) apparaissant notamment au verso du billet américain de 1 dollar, dont Carr donne une reproduction photographique (p. 30), selon un rituel suivi par tous les auteurs conspirationnistes anglo-saxons.
2. Soulignons la différence avec le discours antimondialiste de gauche et d'extrême gauche, dans lequel c'est « l'impérialisme américain » ou la dictature mondiale des États-Unis qui est dénoncé, plutôt que l'ONU, même si cette dernière organisation internationale est parfois stigmatisée comme n'étant qu'une « marionnette » dans les mains américaines.
3. Sur le Convent (Congrès maçonnique) de Wilhelmsbad qui, réunissant 35 délégués (parmi lesquels le Français Jean-Baptiste Willermoz),

première fois sur la gauche du verso des billets de un dollar au début de la période du *New Deal* en 1933, sur l'ordre du Président Franklin Delano Roosevelt[1]. Quelle est la signification réelle de ce symbole digne de la Gestapo, soigneusement camouflé jusqu'à son apparition au début du *New Deal*, si bien que les Américains eux-mêmes ne connaissent généralement son existence qu'en tant que symbole maçonnique, et que très peu se doutent de sa véritable signification. Il ne peut signifier qu'une chose : avec l'avènement du *New Deal*, les Conspirateurs Socialo-Communisto-Illuministes, successeurs du Professeur Weishaupt, considéraient que le peuple approuvait leur entreprise, qui allait être couronnée de succès. Dans les faits, ce sceau proclame à l'attention des Mondialistes que la puissance entière du Gouvernement des États-Unis est maintenant passée sous le contrôle des agents des *Illuminati*, et que cette puissance adoptera de gré ou de force les politiques voulues par ceux qui cherchent à faire appliquer toujours mieux leurs plans secrets de sape et de destruction des gouvernements du soi-disant "Monde libre", et de toutes les religions. L'Objectif est que la Synagogue de Satan puisse usurper les pouvoirs du premier Gouvernement mondial établi et imposer ensuite une dictature totalitaire luciférienne sur ce qui resterait de l'espèce humaine. »

---

s'ouvrit les 15 et 16 juillet 1782 sous la présidence du duc Ferdinand de Brunswick (Braunschweig) et dura jusqu'au 1er septembre, voir Le Forestier, 2001, pp. 354-371. Le duc Ferdinand y fut nommé Grand Maître Général de l'Ordre. Deux ans plus tard, en 1784, le duc devint membre des Illuminés sous le nom de Josephus. Il meurt le 3 juillet 1792. Après sa disparition, la Stricte Observance périclita. La surestimation de l'influence des Illuminés au Convent de Wilhelmsbad fait partie de la « légende Illuminée ».

1. Voir Griffin, 2001, pp. 92-96.

Le modèle du complot des déviants, de la minorité rebelle, de la « société secrète », le complot subversif – souvent interprété en termes xénophobes ou racistes comme complot de l'étranger ou des étrangers infiltrés dans la nation –, a longtemps été dominant dans la culture complotiste, jusqu'à ce que, dans la période de l'après-Seconde Guerre mondiale, s'impose le modèle du complot d'en haut, celui des élites dirigeantes accusées de « mondialisme ». Le « complot gouvernemental », complot interne à l'État, fait l'objet d'une littérature de dénonciation foisonnante[1]. Mais des mixtes des complots respectivement élitaires et révolutionnaires ne cesseront d'être fabriqués par les professionnels du conspirationnisme, notamment par ceux qui initieront des chasses aux sorcières. Dans le maccarthysme, au début des années 1950, on rencontre ainsi un étrange mélange du complot des élites gouvernantes et du complot subversif (les conspirateurs « communistes » étant en même temps des « agents de l'étranger »), comme le montre ce fragment d'un discours prononcé par le sénateur Joseph McCarthy le 14 juin 1951 :

> « Comment pouvons-nous rendre compte de notre situation présente à moins de croire que des hommes haut placés dans le gouvernement se concertent pour nous entraîner au désastre ? Cela doit être le résultat d'un grand complot, un complot sur une si grande échelle qu'il écrase toute entreprise analogue antérieure dans l'histoire de l'homme. [2]»

1. Voir Inglehart, 1987 ; Campion-Vincent, 2005a et 2005b ; Taguieff, 2005.
2. Joseph McCarthy, cité par Pipes, 1997a, p. 115.

La menace suprême : « le Juif »

Il reste que le mythe du « complot juif mondial » a pour ainsi dire absorbé toutes les autres figures du « mégacomplot », et ce, dès la fin du XIXe siècle, au moment même où surgissait en France et en Allemagne un nouveau discours antijuif, baptisé « antisémitisme » en 1879[1] par l'un de ses initiateurs, Wilhelm Marr (1819-1904)[2]. Ce néologisme (*Antisemitismus, Antisemit, antisemitisch*), forgé pour servir d'auto-désignation et d'auto-qualification aux nouveaux antijuifs non religieux, positivistes ou matérialistes convaincus et militants, a vite prévalu pour renvoyer spécifiquement, en dépit de ses connotations (référence aux « Sémites » et non pas aux seuls Juifs), à la haine des Juifs idéologiquement organisée sur la base, supposée alors « scientifique », de la théorie des races, postulant une « lutte éternelle » entre la « race aryenne » et la « race sémitique ». Avec plus de systématisme que Marr, dès le début des années 1880, le théoricien socialiste et raciste Karl Eugen Dühring (1833-1921) a contribué à la fondation d'une judéophobie sécularisée, « non confessionnelle » ou programmatiquement « post-religieuse »[3], sur des bases raciologiques explicites (impliquant

1. Voir Marr, 1862, 1879a et 1879b.

2. Sur le rôle de Marr dans la création de l'antisémitisme politique à base raciale en Allemagne, voir Levy, 1975, p. 17; Mosse, 1985, pp. 120-121, 165-166; Zimmermann, 1986; Rürup, 1987, pp. 128 *sq.*; Geiss, 1988, p. 273; Berding, 1991, pp. 86, 91, 93; Weiss, 1996, pp. 97-99, 139, 182; Breuer, 2001, pp. 327-333, 350-360; Brustein, 2003, pp. 130-134, 137, 211, 270.

3. Voir Dühring, 1883. Ce livre porte un titre fort explicite : *Le Remplacement de la religion par quelque chose de plus parfait et l'élimination du*

la thèse de la supériorité de la « race nordico-germanique » ou « aryenne »), visant l'élimination totale du judaïsme (non moins que du christianisme) et l'exclusion des Juifs de la société allemande[1].

L'une des principales conséquences de la racialisation biologisante de la judéophobie, dans tous ses contextes d'apparition, est qu'elle élimine en principe la voie de la conversion ou de l'assimilation : pour un raciste antijuif, un Juif reste un Juif, irrémédiablement[2]. Et cette vision essentialiste vaut pour le type ethnique ou ethno-racial (« le Juif »), supposé identique à lui-même dans l'Histoire[3], comme pour l'individu saisi dans son histoire personnelle (tel ou tel Juif, réduit à n'être que le représentant quelconque d'un type ethno-racial). Telle est la première implication de la pensée raciste, appliquée à la « question juive ». Or, le Juif est l'incar-

---

judaïsme par l'esprit des peuples modernes. Cet ouvrage est l'un de ceux qui, dans l'Allemagne de la fin du XIXe siècle, prétendaient dessiner les contours d'une religion nouvelle, la « religion de l'avenir », imaginée par certains auteurs comme post-monothéiste. Dühring s'avère plus radical que ses contemporains en esquissant l'utopie d'une religiosité post-religieuse. Voir Poliakov, 1971, p. 327 ; Berding, 1991, p. 134.

1. Voir Dühring, 1881 (*La Question juive, en tant que question de races, de mœurs et de culture*). Sur l'importance et l'influence de Dühring, voir Poliakov, 1971, pp. 309, 317, 327 ; Poliakov, 1977, p. 35 ; Mühlen, 1977 (1979), p. 127 ; Mosse, 1985, pp. 164-165 ; Bein, 1980, t. I, pp. 223-226 ; Wistrich, 1982, pp. 53-54 ; Losemann, 1984, p. 143 ; Geiss, 1988, p. 177 ; Berding, 1991, pp. 93, 134 ; Pauley, 1992, pp. 29-30 ; Weiss, 1996, p. 107 ; Brustein, 2003, pp. 88, 132

2. Voir Taguieff, 2002b, pp. 27-29, 135-197.

3. Voir par exemple Drumont, 1886, t. I, pp. 3, 5, 23, 34, etc. Ce postulat essentialiste est partagé par Marr, 1879a ; Dühring, 1881 ; Chamberlain, 1913 ; Dinter, 1917 ; Hitler, 1934 ; Rosenberg, 1935 (1986).

nation de la menace suprême, l'ennemi satanique qu'il faut à tout prix neutraliser ou éliminer. Héritage de la mythologie du complot juif d'origine satanique. Face aux Juifs, à la « question juive », le judéophobe raciste, à partir des deux dernières décennies du XIXe siècle, ne voit de solution que dans la ségrégation (voie elle-même exclue en principe par le nationalisme ethnique[1]), l'expulsion ou l'extermination[2]. Dans la doctrine national-socialiste, le racisme antijuif sera inscrit dans une « religion de la nature », où le Juif, ennemi absolu, supposé étranger au règne naturel (le Juif comme « *Gegen-Rasse* » ou « *Gegenrasse*[3] » : anti-race, contre-race)[4], se transformera en un « ennemi de la vie » qu'il faut combat-

1. Une formation de compromis pouvant être trouvée dans un « statut des Juifs » excluant ces derniers d'un certain nombre d'activités et d'institutions, et codifiant la spoliation ainsi que la confiscation de leurs biens. Pour la France de Vichy, voir Marrus/Paxton, 1981, pp. 17 *sq.*, 85 *sq.*, 103 *sq.*, 138 *sq.*

2. Pour une approche multi-dimensionnelle de l'antisémitisme en Europe (France, Italie, Allemagne, Grande-Bretagne, Roumanie) dans la période 1899-1939, voir Brustein, 2003.

3. L'expression « *Gegenrasse* » est employée par Alfred Rosenberg dans son livre le plus célèbre, *Le Mythe du XXe siècle* (1930). Voir Rosenberg, 1935, pp. 461 *sq.*, et 1986 (tr. fr.), pp. 437 *sq.* ; sur la question, voir Nova, 1986 ; Burrin, 2003, p. 225. Voir aussi Schickedanz, 1927 ; et les commentaires de Conte/Essner, 1995, pp. 210 *sq.*

4. Voir déjà Dühring, 1881, utilisant l'expression « *Gegenmenschen* » (Geiss, 1988, p. 177). Dans la perspective de Rosenberg (suivi en cela par d'autres théoriciens et dirigeants nazis), la notion de race ayant des connotations positives (« race aryenne »), et toute « race » étant dotée de caractéristiques plus ou moins positives, le type « le Juif », intrinsèquement négatif, ne saurait constituer une « race » véritable. Il est bien plutôt l'ennemi de toutes les « races ». La démonisation prédomine, dans le seul cas du « Juif ».

tre à tout prix[1]. La violence antijuive pouvait ainsi prendre le sens pseudo-religieux d'une « croisade libératrice[2] » et la signification pseudo-médicale d'une opération chirurgicale, l'acte d'extirper la source du mal étant requis pour assurer au corps collectif un retour à la santé. Sans oublier le sens pseudo-moral d'une « purification », qui commence par une auto-purification (éliminer le Juif en soi-même, comme le demandait Houston Stewart Chamberlain[3]). Voire celui, empreint de religiosité mêlée d'ésotérisme, d'une « régénération » totale, d'une « rédemption[4] ». D'où la constitution, dans le cadre d'une vision apocalyptique de l'Histoire, d'un antisémitisme à la fois exterminateur, régénérateur et « rédempteur[5] ».

4. Aspects de la culture ésotéro-complotiste contemporaine : *L'Énigme sacrée*, *Le Gouvernement secret*, *Livre jaune n° 5* et *Da Vinci Code*

L'ouvrage célèbre de Michael Baigent, Richard Leigh et Henry Lincoln, *The Holy Blood and the Holy Grail*, paru à Londres en 1982 et traduit l'année suivante en français

1. Voir Pois, 1993, p. 175 (référence à Theodor Siebert, « Der jüdische Feind », *Völkischer Beobachter*, 12 novembre 1941).
2. Traverso, 2002, p. 159.
3. Chamberlain, 1913, t. I, pp. 22, 621-623, 658-659 ; t. II, pp. 1280 (note 1), 1414, 1416.
4. Friedländer, 1997, pp. 15, 83 *sq.*
5. Voir Friedländer, 1997 ; Bauer, 2002, pp. 123-124 ; Burrin, 2004.

sous le titre *L'Énigme sacrée*, a la prétention de révéler la face cachée de l'histoire de l'Occident chrétien. Ce best-seller fabriqué par trois journalistes-enquêteurs amateurs jouant les historiens n'est autre qu'une synthèse romancée d'un certain nombre d'études savantes et semi-savantes mêlées à des récits fictionnels ou à des témoignages mensongers, où il est question de Jésus-Christ et de sa descendance, du Saint Graal et de sa signification véritable (le « *san real* » de la lignée de Jésus), de la dynastie des Mérovingiens issue de la descendance de la fille de Jésus et de Marie-Madeleine (qui se serait réfugiée en France), du Prieuré de Sion présenté comme une société secrète fondée à la fin du XIe siècle, des Cathares, des Templiers et des francs-maçons (présentés comme les héritiers de l'Ordre du Temple). Il s'agit d'un livre d'histoire alternative fondé sur la dénonciation d'un grand complot pour préserver un secret dont la révélation serait mortelle pour l'Église catholique, dénoncée comme fondée sur un mensonge qui dure depuis deux millénaires. L'Église aurait tout fait pour cacher la vérité, à savoir : Jésus n'est pas le fils de Dieu et il fut l'époux de Marie-Madeleine. Ce récit complotiste saupoudré d'ésotérisme – un ésotérisme de pacotille réduit à la mise en scène de codes secrets et de rituels mystérieux – mêle sans scrupule les faits historiques et les fictions, allant de récits légendaires à des « mythologies contemporaines »[1].

1. Au sens sociologique donné à cette expression par les spécialistes des « légendes urbaines » et des « nouvelles rumeurs » : Renard, 2002a ; Renard et Campion-Vincent, 2002.

Ce livre habilement confectionné, même s'il est fait de bric et de broc, a inspiré de nombreux autres ouvrages de moindre qualité qui en ont repris les prétendues « révélations ». Il s'est récemment rappelé à la mémoire collective à l'occasion de l'immense succès international rencontré par le roman de Dan Brown, *Da Vinci Code* (2003), qui en a popularisé les principaux thèmes.

Paru en mars 2003 aux États-Unis (et en mars 2004 en France), ce roman ésotéro-théologique, dont l'intrigue est d'inspiration complotiste, a été vendu dans le monde à environ 40 millions d'exemplaires en trois ans. On peut trouver un indice de la crédulité des lecteurs et de l'inculture religieuse contemporaine dans un résultat de sondage : 30 % des personnes interrogées en France, selon un sondage Ipsos réalisé pour l'hebdomadaire *Famille chrétienne* (daté du 3 mai 2006), tiennent cette histoire pour « plutôt vraie » ou « totalement vraie ». Le best-seller de Dan Brown a réveillé l'intérêt des éditeurs, comme du public spécialisé, sur ses sources, parmi lesquelles les essais de Baigent/Leigh/Lincoln occupent incontestablement la première place. *L'Énigme sacrée* aura constitué le best-seller international qu'on est en droit de considérer comme le plus important texte-précurseur du roman de Dan Brown, qui en a mis en scène les principaux motifs, y ajoutant quelques ingrédients formels (les conventions du roman policier), une intrigue sentimentale et une mise en accusation virulente de l'Église catholique, dénoncée à la fois comme avide de pouvoir, n'hésitant pas à falsifier les écritures saintes, ennemie implacable des femmes et commanditant des meurtres. La diabolisation de l'*Opus Dei*, chez Dan Brown, est l'instrument privilégié d'une dénonciation sans nuances de l'Église, exploitant des rumeurs et des légendes anticatholiques de toutes origines. Les fantasmes conspirationnistes contemporains sur l'*Opus Dei* ne sont guère comparables qu'à ceux qui, depuis le XVIIe siècle, ont visé la Compagnie de Jésus depuis la diffusion du célèbre faux antijésuitique, les *Monita secreta Societatis Jesu* (Cracovie, 1612/1614)[1], ou encore à ceux qui, chez les polémistes anti-judéomaçons du dernier tiers du XIXe siècle, s'appliquaient au B'nai B'rith ou à l'Alliance israélite universelle. Le même trio journalistique a publié en 1986 une suite à *L'Énigme sacrée*, *The Messianic Legacy*, traduit l'année suivante en français sous le titre *Le Message. L'Énigme sacrée* **, où il est question du Messie, des Mérovingiens, de l'Ordre de Malte, du Roi perdu, de Rennes-le-Château avec ses légendes et – encore – du Prieuré de Sion. Pour rédiger *Da Vinci Code*, Dan Brown s'est directement inspiré des deux livres de Baigent, Leigh et Lincoln (1982 et 1986) dans lesquels ces derniers se sont efforcés de donner une vraisemblance à la thèse d'une « action souterraine du Prieuré de Sion à travers les siècles[2] ». La recherche du secret bien gardé devient chasse au trésor dans le roman de Dan Brown, dont le film tiré du roman donne une version aussi ennuyeuse que caricaturale.

1. Voir Rollin, 1939, pp. 31-32 (1991, pp. 28-31) ; Poliakov, 1980, pp. 59 *sq.*; Leroy, 1992; Taguieff, 2005, pp. 61-62. Voir aussi *supra.*
2. Pour un examen critique, voir Etchegoin/Lenoir, 2004.

Le thriller théologico-ésotérique de Dan Brown commence par l'assassinat du conservateur en chef du Louvre, Saunière, qui, avant d'expirer, a eu la force de semer des indices dans la grande galerie du Louvre. Leur découverte lance sa petite-fille supposée, Sophie Neveu, spécialiste de cryptologie à la police judiciaire, et Robert Langdon, professeur de symbolique religieuse à l'université Harvard, qui venait d'être contacté par Saunière, dans une enquête périlleuse à la recherche du mystérieux Saint Graal. Pris pour les auteurs du crime, Neveu et Langdon sont eux-mêmes pris en chasse par la police (le commissaire Bezu Fache, chargé de l'enquête, membre de l'*Opus Dei*, ayant été mis sur leur piste par ses supérieurs), tout en étant menacés par un commando de l'*Opus Dei*, organisation présentée comme une secte criminelle ayant infiltré l'Église et plus particulièrement le Vatican. Les deux enquêteurs-fugitifs, réfugiés dans le manoir d'un expert en Saint Graal, le professeur Teaching, vont apprendre de lui le double secret du mariage de Jésus et de Marie-Madeleine et de leur descendance, qui forme une lignée royale dont l'existence jusqu'à ce jour constitue une menace pour l'Église. Ils découvrent également le complot du Vatican pour détruire le Prieuré de Sion, qui conserve et protège depuis l'époque des Templiers ces secrets, codés et chiffrés par des maîtres du symbolisme ésotérique appartenant au Prieuré. Cette prétendue société secrète de type initiatique transmettrait la vérité sur Jésus, une vérité explosive qui, une fois révélée, détruirait l'Église, réduite à une immense imposture.

Pour finir, Sophie Neveu apprend qu'elle s'appelle Saint Clair et qu'elle a été protégée par le Prieuré de Sion, parce qu'elle descend à la fois de Jésus-Christ et du roi Dagobert. Elle est donc l'héritière du trône de France.

Il convient certes de ne pas prendre une œuvre de fiction pour un essai historique. Mais Dan Brown a pris le risque d'ouvrir son roman, le *Da Vinci Code*, par un court avant-propos intitulé « Les faits ». Abusant le lecteur, il y affirme :

> « La société secrète du *Prieuré de Sion* a été fondée en 1099, après la première croisade. On a découvert en 1975, à la Bibliothèque nationale, des parchemins connus sous le nom de *Dossiers Secrets*, où figurent les noms de certains membres du *Prieuré*, parmi lesquels on trouve Sir Isaac Newton, Botticelli, Victor Hugo et Leonardo Da Vinci.
>
> L'*Opus Dei* est une œuvre catholique fortement controversée, qui a fait l'objet d'enquêtes judiciaires à la suite de plaintes de certains membres pour endoctrinement, coercition et pratiques de mortification corporelle dangereuses. L'organisation vient d'achever la construction de son siège américain – d'une valeur de 47 millions de dollars – au 243, Lexington Avenue, à New York.
>
> Toutes les descriptions de monuments, d'œuvres d'art, de documents et de rituels secrets évoqués sont avérées. [1]»

Cet avant-propos, qui précède le récit de fiction, situe donc sur le même plan, celui de la réalité historique, le Prieuré de Sion (une entité fictive) et l'*Opus Dei* (une réalité religieuse institutionnelle, mais fortement mythologi-

1. Brown, 2004, p. 9.

sée dans le roman, sur le mode de la diabolisation[1]). C'est là induire en erreur le lecteur non prévenu, lui faire croire que le Prieuré de Sion a existé et continue d'exister. Et lorsque le lecteur du *Da Vinci Code* s'avise de vérifier les affirmations de Dan Brown, en faisant confiance à des guides en démystification, il risque de plonger plus encore dans la confusion. Simon Cox, rédacteur en chef de *Phenomena*, magazine consacré à « l'étude critique des dogmes, des orthodoxies et des demi-vérités », et heureux auteur d'un best-seller intitulé *Cracking the Da Vinci Code* (*Le* Code Da Vinci *décrypté*), conclut l'article qu'il consacre au « Prieuré de Sion » par cette phrase : « Même aujourd'hui, l'existence du Prieuré de Sion continue à être un mystère. [2]» De tels faux démystificateurs ne font qu'ajouter du mystère au mystère[3]. Manière de satisfaire la demande du public, et de faire marcher ainsi le commerce, manière aussi de sacrifier à un engouement croissant devenu un phéno-

---

1. Sur l'*Opus Dei* (abréviation de *Sancta Crux et Opus Dei* : « La Sainte Croix et l'Œuvre de Dieu »), organisation catholique créée en 1928 par le prêtre espagnol Josemaría Escrivá de Balaguer et comptant aujourd'hui environ 80 000 membres, voir Le Tourneau, 2004. L'*Opus Dei*, la « Société sacerdotale de la Sainte Croix et de l'Œuvre de Dieu », aussi criticable soit-elle, ne ressemble guère aux caricatures de propagande que certains essayistes et romanciers réinvestissent sans vergogne dans leurs publications. Il y a toujours un marché pour l'anticléricalisme, qui recycle les représentations du « complot jésuite ».
2. Cox, 2004, p. 156. Voir aussi le documentaire, portant le même titre, du même Simon Cox (DVD, 2004).
3. Parmi les exceptions, voir l'enquête rigoureuse de Marie-France Etchegoin et Frédéric Lenoir (2004), ainsi que les articles consistants réunis par Dan Burstein (2004 et 2005).

mène de mode reconnu par la presse, titrant par exemple à la une : « La folie de l'ésotérisme » ou « Le grand retour de l'ésotérisme ». La littérature dérivée des best-sellers de Dan Brown, en dépit de son auto-présentation centrée sur la critique démystificatrice, le « décodage » des messages codés ou le rétablissement de la « vérité historique » déformée, semble prolonger l'effet Dan Brown, comme si tous les intéressés appliquaient la formule simple par laquelle Henry Lincoln commence son livre intitulé *La Clé du mystère de Rennes-le-Château* : « Tout le monde aime les histoires mystérieuses. [1]» Dan Brown lance en écho : « Tout le monde aime la conspiration.[2] »

Les prétendus « faits » avancés par Dan Brown à propos du Prieuré de Sion relèvent autant de la fantaisie que de l'imposture : ils sont les produits de la mythomanie d'un certain Pierre Plantard (1920-2000), dit Plantard de Saint-Clair, qu'on peut considérer comme un mythomane et un escroc littéraire[3]. Le « Prieuré de Sion », fondé en 1099 par Godefroy de Bouillon, avec ses Grands Maîtres prestigieux, est une invention de Plantard (qui se présentait comme le dernier Grand Maître dudit Prieuré[4]), littérai-

1. Lincoln, 1998, p. 11.
2. Dan Brown, cité par Marie-Caroline de Marliave, « Le *Da Vinci Code*, défi pour la raison », *Catholiques en France*, mars 2006, p. 14.
3. Voir Sède, 1988, en partic. pp. 107-162 ; Etchegoin/Lenoir, 2004, pp. 17-69 ; Taguieff, 2005, chap. I.
4. À l'origine simple association de défense des droits des locataires d'HLM régie par la loi de 1901, créée le 25 juin 1956 à la sous-préfecture de Saint-Julien-en-Genevois (Haute-Savoie), le Prieuré de Sion existe toujours en 2006, ayant survécu au dévoilement public

rement exploitée par Baigent, Leigh et Lincoln, vingt ans avant Dan Brown. Les « Dossiers Secrets » sont un faux, dû à Plantard et à l'un de ses acolytes (Philippe de Chérisey), avec l'aide de Gérard de Sède, écrivain spécialisé dans l'histoire mystérieuse des « trésors maudits ». Qu'ils aient été déposés – anonymement, au milieu des années 1960 – à la Bibliothèque nationale n'y change rien. Dan Brown a donc fabriqué son roman sur la base d'un certain nombre de « forgeries » et de mensonges historiques, abusivement transformés en faits historiques établis ou hautement vraisemblables par Baigent/Leigh/Lincoln et d'autres auteurs jouant les contre-experts[1]. Certains ouvrages suscités par l'immense succès rencontré par le roman de Dan Brown, en dépit de leur auto-présentation en « guides » de lecture critique fournissant des précisions historiques, font eux-mêmes partie du même champ que leur objet[2]. Ils nourrissent l'imaginaire ésotéro-conspirationniste, légitiment les croyances à des récits pseudo-historiques et renforcent l'illusion du lecteur d'être lui-même initié aux « grands secrets », au même titre que nombre d'ouvrages d'aspect

des prétentions ridicules de son fondateur et premier président Plantard. Pour les documents relatifs à la création du Prieuré de Sion (« Chevalerie d'Initiation et Règle Catholique et d'Union Indépendante Traditionaliste »), voir Fontenelle/Icard, 2006, pp. 80-86, 334-338.

1. Voir par exemple Picknett/Prince, 1999.

2. Cox, 2004 et 2005. Une étude spécifique devrait être consacrée aux faux « décodages » ou aux « décryptages » trompeurs auxquels les romans de Dan Brown ont donné lieu.

académique sur les « sociétés secrètes » et les « gouvernants invisibles » (Hutin, Gerson-Mariel, etc.).

L'idée directrice du roman de Dan Brown, à savoir que le Christ, époux de Marie-Madeleine, a eu une descendance qui s'est prolongée jusqu'à nos jours, est un emprunt fait à des ouvrages tels que *L'Énigme sacrée* de Baigent, Leigh et Lincoln ou *La Révélation des Templiers* de Lynn Picknett et Clive Prince[1]. Ces auteurs d'ouvrages à succès ont eux-mêmes repris certaines interprétations pour le moins contestables de textes décrivant de façon allusive les relations entre Jésus et Marie-Madeleine, tel l'Évangile de Philippe (LVIII, 33-6), l'un des Évangiles gnostiques qui figuraient dans le trésor de Nag Hammadi, découvert en Égypte en 1945. Baigent, Leigh et Lincoln ont ajouté à ce récit légendaire la thèse fantaisiste que le prétendu « Prieuré de Sion » avait pour mission véritable de défendre la lignée sacrée descendant du couple et de protéger le secret de cette union ainsi que de sa descendance (des Mérovingiens à Plantard !). Il en va de même pour l'interprétation du Saint Graal, désignant traditionnellement le calice ayant recueilli le sang du Christ lors de la crucifixion : Dan Brown reprend de *L'Énigme sacrée* la thèse, présentée comme une vérité occultée par l'Église, selon laquelle le Graal serait la métaphore de la lignée du Christ, donc le « rameau » par lequel les rois mérovingiens descendraient du Christ. Ce qui suppose que Marie-Madeleine, après la crucifixion, se serait réfugiée en France avec son enfant, et que l'un des descendants de celui-ci,

1. Picknett/Prince,1999.

qui se serait marié avec un membre d'une tribu franque, aurait fondé la dynastie mérovingienne. Il suffit, pour corser l'intrigue, d'ajouter que les Templiers – intarissable source de récits « alter-historiques » et complotistes parfumés d'ésotérisme depuis le XVIIIe siècle – ont été créés pour protéger le « grand secret » du Saint Graal. Quant à Léonard de Vinci, présenté comme l'un des Grands Maîtres (de 1510 à 1519) du « Prieuré de Sion » (cette invention de Plantard, en 1956), il est clair qu'il n'a pas dissimulé dans ses tableaux des indices du fictif « grand secret » (le mariage de Jésus et de Marie-Madeleine). La remarquable enquête de Marie-France Etchegoin et Frédéric Lenoir l'a bien établi. Sur les Templiers comme sur Léonard, Dan Brown apparaît comme un compilateur pressé mais habile, faisant feu de tous bois.

Dans *L'Énigme sacrée*, ouvrage en trois parties, la deuxième partie, titrée « La société secrète », comporte un chapitre consacré à la « Conspiration à travers les siècles », où l'on rencontre un développement singulier sur les « Protocoles de Sion », qui commence ainsi :

> « L'une des preuves les plus éloquentes de l'existence et des activités du Prieuré de Sion date de la fin du XIXe siècle. Ce témoignage est bien connu, mais il est souvent contesté car il évoque beaucoup de souvenirs pénibles. Ayant joué en effet un rôle important dans des événements récents, il suscite aujourd'hui encore des réactions extrêmement violentes que la plupart des écrivains préfèrent éviter en le passant sous silence. [1] »

1. Baigent *et al.*, 1983, pp. 176-177.

Les auteurs de *L'Énigme sacrée* livrent leurs conclusions pour le moins risquées sur les origines des *Protocoles* :

> « 1) Il existe un texte original dont s'est inspirée la version officielle des *Protocoles.* Ce texte n'est pas apocryphe, mais parfaitement authentique. [...] 2) Le texte original dont s'est inspirée la version officielle des *Protocoles* [...] est un programme mentionnant des pouvoirs plus étendus, une franc-maçonnerie en expansion projetant de détenir le contrôle des institutions sociales, politiques et économiques. [...] 3) Le texte original [...] est tombé entre les mains de Sergeï Nilus [...] [qui en a] remanié le langage pour le rendre plus véhément [...]. 4) La version officielle des *Protocoles* [...] serait donc, selon nous, plutôt un texte remanié. Mais derrière ces modifications [...], on retrouve des vestiges de la version originale. [...] Ces vestiges [...] prennent tout leur sens dans celui [le contexte] des sociétés secrètes. Nous allons [...] découvrir qu'ils se rapportaient essentiellement au Prieuré de Sion. [1]»

Aucune de ces assertions n'est vraie. Mais le trio de pseudo-historiens a lancé sur le marché mondial du conspirationnisme une nouvelle généalogie fictive du célèbre faux antisémite.

Les matériaux symboliques et les ressources narratives du livre-synthèse de Baigent/Leigh/Lincoln (et des suivants) ont également été réinvestis par certains auteurs d'extrême droite, plus particulièrement des néo-nazis, des chrétiens fondamentalistes ou des membres des milices patriotiques américaines adeptes de la théorie du complot juif, judéo-maçonnique ou judéo-ploutocratique. L'un des derniers

1. Baigent *et al.*, pp. 180-181.

textes de l'ufologue conspirationniste Milton William Cooper, « Sociétés secrètes/Nouvel Ordre mondial » (« *Secret Societies/New World Order* »), y fait expressément référence :

> « J'avais l'intention d'étudier de façon détaillée les liens entre la Loge P2, le Prieuré de Sion, le Vatican, la CIA, les organisations pour l'Union de l'Europe, et le Groupe Bilderberg. Heureusement, Michael Baigent, Richard Leigh et Henry Lincoln m'ont devancé sur la question. Je dis heureusement, parce qu'ils confirment l'accusation que j'avais précédemment lancée dans mon texte "Le Gouvernement secret", à savoir que la CIA avait placé des agents, appelés taupes, au sein du Vatican. Vous devez lire les livres de Baigent, Leigh et Lincoln : *L'Énigme sacrée* et *Le Message*. [...] Aux pages 343-361 du *Message*, vous pouvez découvrir l'alliance des pouvoirs qui a abouti à un gouvernement mondial secret.[1] »

Le plus récent best-seller international dans le genre est dû à un personnage singulier, Jan Udo Holey, auteur masqué, en langue française, du *Livre jaune* en trois volumes (n° 5, n° 6, n° 7), publiés de 1997 à 2004. Ces trois volumes contiennent significativement des extraits commentés ou illustrés, ou simplement des paraphrases des *Protocoles des Sages de Sion*, le plus célèbre faux antisémite de l'histoire occidentale[2]. Holey n'hésite pas à soutenir que « le recueil complet des *Protocoles* dépeint la situation actuelle de notre monde[3] ». Les trois volumes du *Livre jaune* prétendent raconter avec force détails

1. Cooper, 2005. Voir aussi Taguieff, 2005, chap. I (fin), l'extrait du texte de Herbert G. Dorsey III, l'une des sources de Holey (*Livre jaune*).
2. Voir Taguieff, 2005, chap. III.
3. *Livre jaune n° 5*, p. 63. Holey se réfère sur ce point (p. 312, note 18) à Herbert G. Dorsey III (1993) et à William Guy Carr (1999).

« l'histoire de quelques personnes bien tangibles qui, en 1773, établirent un projet à Francfort dans une maison de la Judenstrasse (rue Juive) [*sic*] », et « voulaient préparer la voie pour leur Gouvernement mondial unique jusqu'en l'an 2000 au moyen de trois guerres mondiales »[1]. C'est pourquoi l'on ne s'étonne pas de tomber souvent sur la référence fantaisiste aux « *Protocoles* des *Illuminati* de 1897 »[2], censés fournir, selon la formule métaphorique rituelle dans les milieux antisémites, « la clé du mystère »[3]. Reconduction d'une légende fabriquée par les premiers propagateurs des *Protocoles* : le document aurait été présenté lors du premier Congrès sioniste tenu à Bâle, en août 1897, dans le cadre d'une réunion secrète. Les leaders sionistes en congrès peuvent ainsi être transformés en « Sages de Sion » préparant leur grand complot. Le lecteur du *Livre jaune n° 7* est prévenu dès l'avant-propos de l'ouvrage : « Ce livre essaie de révéler au grand jour l'existence de "l'Empire Satanique". Il vous aidera à découvrir ceux qui tirent les ficelles dans les coulisses des événements de ce monde [...]. Il deviendra de plus en plus clair pour vous qui, quelle force contrôle le *Nouvel Ordre mondial*. [4]»

---

1. *Livre jaune n° 5*, p. 32. Allusion à un faux attribué à Albert Pike, une prétendue lettre à Mazzini (datée du 15 août 1871) où Pike expose un plan prévoyant trois guerres mondiales successives (Carr, 1999, pp. 20-21 ; 2004a, p. XVI ; 2005b, pp. 225-228).
2. *Livre jaune n° 7*, p. 154. On lit dans *Satan, prince de ce monde* : « La première réunion des Sages de Sion au sujet du Sionisme politique se tint [...] à Bâle, en Suisse, en 1897. » (Carr, 2005b, p. 228).
3. Titre d'une brochure antisémite diffusée au Canada puis en France (par Coston) dans les années 1937-1938. Voir Taguieff, 2005, p. 418.
4. *Livre jaune n° 7*, p. 19.

Le mélange de thèmes conspirationnistes et de motifs « ésotériques » offert par les auteurs de *L'Énigme sacrée* aura donc eu une double postérité : dans le genre romanesque illustré par le *Da Vinci Code* et dans un genre mal défini qui se situe aux frontières de l'essai politique, de la science-fiction (comprenant la littérature ufologique), de l'ésotérisme (révélation d'un sens caché de l'Histoire) et du pamphlet conspirationniste (dénonciation des « manipulations »), dont les ouvrages de Jan Udo Holey (alias Jan van Helsing) ou de David Icke donnent une frappante illustration[1].

Jan Udo Holey, né à Dinkelsbühl, en Bavière, le 22 mars 1967, est un guérisseur allemand qui publie en Allemagne ou dans les pays anglophones sous le pseudonyme de Jan van Helsing ou sous celui de Robin de Ruiter, mais garde l'anonymat dans ses publications en langue française, chez un éditeur spécialisé dans la littérature complotiste[2]. Après avoir été « punk rocker » et militant antifasciste, et après avoir voyagé (paraît-il) sur les cinq continents, il

1. Voir Holey, 1993-2004; Icke, 2001. Sur le conspirationnisme ufologique de David Icke, voir Taguieff, 2005, *passim*.

2. Il s'agit des Éditions Félix, dont le siège serait à Port Louis (Île Maurice). Cet éditeur présente ainsi le *Livre jaune n° 5* : « Ce livre s'adresse en premier lieu aux historiens et aux élites, mais aussi à tous les êtres humains de cette planète. Il y a des indices très clairs qui montrent que l'on nous trompe. » (Annexe publicitaire à l'ouvrage collectif : *Coucou, c'est Tesla. L'énergie libre*, Éditions Félix, 1997, rééd. 2004, p. 311). Quant au livre de Leonard Horowitz, *La Guerre des virus*, il est ainsi célébré : « L'auteur a cherché pendant des années, a trouvé la vérité et la diffuse sur tous les continents. Nous devons savoir que quelqu'un manipule l'information pour nous tromper. » (http://www.leseditionsfelix.com/virus.html).

s'est spécialisé à vingt-six ans dans la théorie du complot[1]. C'est ainsi que Holey est devenu un « révisionniste » situable dans la mouvance néo-nazie donnant dans l'ésotérisme (le spiritisme en particulier) et dans la mythologie des extra-terrestres. Son livre en plusieurs volumes constitue l'un des bréviaires de ce sous-genre littéraire, où l'antimondialisme d'extrême droite fusionne avec l'ufologie conspirationniste et un antisémitisme qu'il faut bien qualifier d'ésotérique – à défaut d'un meilleur terme. Publié en allemand sous le titre *Les Sociétés secrètes et leur pouvoir au XXe siècle*, en 1993[2], traduit en anglais dès 1995 (*Secret Societies and Their Power in the 20th Century*), l'ouvrage est diffusé en français, depuis 1997, sous le titre *Livre jaune n° 5*, attribué à un « collectif d'auteurs », distribué principalement dans les librairies spécialisées en « ésotérisme » et vendu par correspondance aux « Éditions Félix », qui l'ont réédité avec quelques modifications en 2001. Il a une suite : le *Livre jaune n° 6* (version française du tome II de 1995) sort en 2001, et le *Livre jaune n° 7* en 2004 (attribué à « Robin de Ruiter »). Ce livre, *Les Sociétés secrètes...* (ou *Livre jaune n° 5*), est une simple compilation, d'une écriture très laborieuse et dotée d'un appareil de références approximatif. Or, depuis sa première édition allemande (vol. I, 1993), suivi par ses traductions respectivement anglo-américaine (1995) et française (1997,

1. Sur Holey, voir Gugenberger *et al.*, 1998, en partic. pp. 154 *sq.*, 167-204, ; Pfahl-Traughber, 2002, pp. 87-95 ; Goodrick-Clarke, 2002, pp. 169-171, 293-299 ; Meining, 2004.
2. Ce premier volume sera suivi, en 1995 (1ère éd. allemande), d'un deuxième.

2001), ce livre sur les « sociétés secrètes » et « leur pouvoir au XXe siècle » est devenu un best-seller. On y retrouve les *Illuminati*, acteurs principaux de la « face obscure de l'Histoire », ainsi que la « société secrète » portant le nom de « Prieuré de Sion », et bien sûr les *Protocoles des Sages de Sion*, dans un contexte polémique où le Nouvel Ordre mondial incarne le mal – plus précisément, le mal absolu : pure et simple création ou expression de Satan[1]. Holey nous révèle notamment que « les plus grandes familles qui composent les *Illuminati* sont des satanistes parmi les plus influents du monde, et qu'ils adorent le diable comme leur Dieu[2] ». Les *Illuminati* sont partout, ils représentent une entité satanique fondamentalement polymorphe : d'un côté, l'amateur de révélations apprend sans surprise que « les francs-maçons sont un des piliers principaux de l'ordre des *Illuminati*[3] » ; de l'autre, il frémit d'apprendre que « depuis la Révolution française, Satan et ses alliés de l'élite n'épargnent plus aucun pays » et que « le plus grand triomphe des *Illuminati* est de s'être approprié l'Église catholique et romaine ![4] ». Pour comprendre le fonctionnement de « l'empire mondial satanique et secret », il faut selon Holey connaître le « pacte secret des *Illuminati* », dont les terribles conséquences sont ainsi rappelées :

« Quand on enquête sur la face cachée de l'histoire, on tombe régulièrement sur les *Illuminati*. Ils ont réduit des royau-

1. Voir *Livre jaune n°* 7, 2004, pp. 19, 30-31, 41-46, 59-64, etc.
2. *Livre jaune n°* 7, 2004, p. 41.
3. *Livre jaune n°* 7, 2004, p. 47.
4. *Livre jaune n°* 7, 2004, p. 159.

mes en esclavage grâce à l'usure, ils ont fomenté des guerres et façonné le monde tel que nous le connaissons aujourd'hui. Les *Illuminati* ont donné l'impulsion et conduit les grandes révolutions qui ont suivi la guerre d'indépendance américaine. La Révolution française en fait partie [...]. Les documents secrets qui ont été découverts à la fin du XVIIIe siècle et à qui l'on a donné plus tard, dans leur version élaborée, le nom de *Protocoles de Sion* [*sic*], contenaient des objectifs précis. Ces objectifs ont été intégralement réalisés au cours des deux derniers siècles. [1]»

Les «documents secrets» dont il est question ne peuvent être que les documents internes de l'Ordre des Illuminés saisis par la police bavaroise, et n'ont rien à voir avec les *Protocoles des Sages de Sion,* contrairement à ce qu'affirment, sans la moindre preuve, un certain nombre de propagateurs du célèbre faux depuis le début des années 1920. Dans son livre sur les «sociétés secrètes» et les «mouvements subversifs», publié en 1924, Nesta Webster mentionne ainsi la thèse, totalement fantaisiste, selon laquelle les *Protocoles* seraient à l'origine un document interne à une «société secrète» constituée sur le modèle des «*Illuminati*» et de la «Haute Vente romaine» (organisation maçonnique diabolisée par la propagande du Vatican) et qui serait tombé dans les mains de Maurice Joly[2], dont on sait que le *Dialogue aux Enfers entre Machiavel et Montesquieu* (1864) a été plagié par le faussaire Matthieu Golovinski qui a fabriqué les *Protocoles* en 1900-1901, à Paris, pour le compte de l'Okhrana[3]. Une

1. *Livre jaune n°* 7, 2004, p. 28.
2. Webster, 1964, pp. 411-412.
3. Voir Taguieff, 2004b, et *infra.*

autre thèse sans fondement sur les origines des *Protocoles* a été soutenue notamment par Lady Queenborough dans *Occult Theocrasy* (1933) : le document aurait été dérobé à « une Loge juive » du Rite de Misraïm à Paris, en 1884, et contiendrait « le programme du judaïsme ésotérique[1] ».

Nombre de publications complotistes mettent aussi en scène des extraterrestres avec lesquels nombre d'auteurs de textes ésotérico-nazis disent être ou avoir été en contact. Holey, par exemple, affirme que le premier volume de ses *Sociétés secrètes* (1993, puis 1995) a été écrit sous l'impulsion de puissances supérieures. Le témoignage de ses parents, Hannes et Luise Holey, eux-mêmes auteurs de textes ésotériques, est net : le jeune Jan Udo entretenait des liens avec des extraterrestres et de grands personnages du passé[2]. Le spiritisme fait partie du tableau. Un autre thème récurrent est présent dans une partie de cette littérature conspirationniste faisant référence aux OVNIs et aux extraterrestres : plusieurs espèces étrangères à l'espèce humaine vivraient clandestinement parmi les humains, et ces espèces étrangères seraient mues par de très mauvaises intentions. Dénonciateur professionnel du Nouvel Ordre mondial, William Milton Cooper (1943-2001), militant de la « Christian Right » et activiste du « Patriot Movement », connu pour son essai sur « le Gouvernement secret » et son livre à succès *Behold a Pale Horse* (« Voici un cheval blême »)[3] ainsi que pour ses « visions radicales dans le domaine ufo-

1. Queenborough, 1975, p. 408.
2. Voir Meining, 2004, p. 515.
3. 1ère éd., 1989 ; 2e éd. revue, 1991 (ouvrage d'environ 500 pages).

logique », allait jusqu'à soutenir que la plupart des spécialistes des OVNIs n'étaient que des agents d'une grande conspiration visant à dissimuler les extraterrestres pour que ces derniers puissent réaliser leur plan d'invasion et de conquête sans rencontrer de résistance humaine. Il y a là des ressources symboliques inépuisables pour les interprétations paranoïaques de l'histoire récente[1]. On ne s'étonne pas de pouvoir lire les *Protocoles* dans le best-seller de « Bill » Cooper, *Behold a Pale Horse*[2], qui dénonce le « pouvoir occulte » des « sociétés secrètes ». Peu avant sa mort violente au cours d'un échange de tirs avec des policiers qui venaient l'arrêter (5 novembre 2001), le « patriote » milicien Cooper (considéré par certains journalistes comme un néo-nazi) s'était appliqué à mettre en doute la « thèse officielle » sur les attentats du 11 septembre, résultat selon lui d'une conspiration co-organisée par la CIA. Bien entendu, sa mort a été attribuée par ses admirateurs aux agents des *Illuminati*, que ses « révélations » auraient fortement indisposés.

À revenir maintenant sur le *Da Vinci Code*, il faut bien reconnaître que Dan Brown a réussi une opération délicate : extraire d'un fatras symbolique dominé par le conspirationnisme et l'antisémitisme les matériaux d'une

---

Voir Taguieff, 2005, pp. 477-485. Cooper inspire autant Holey que David Icke ; voir Taguieff, 2005, pp. 67-68, 501-509.

1. Grant, 1998 ; Goodrick-Clarke, 2002, pp. 294 *sq.* ; Barkun, 2003.

2. Cooper, 1991, pp. 267-332. Dans ses commentaires des *Protocoles*, Holey cite ou paraphrase Cooper (Goodrick-Clarke, 2002, p. 293). Voir Helsing, 1993, pp. 36, 43-49 (ou *Livre jaune n° 5*, pp. 74-78).

intrigue soigneusement « purifiée ». Cependant, même si les traces de la mythologie anti-judéo-maçonnique sont effacées par le romancier (au contraire de la mythologie anti-catholique[1]), les lecteurs sensibles à cette mythologie s'y retrouvent. Le fond remonte à la surface. Ce roman peut être abordé comme un palimpseste. Ce qui engage à décoder un texte consacré au codage et au décodage. Les termes-symboles (tels que « Prieuré de Sion » ou « *Illuminati* ») sont là pour faire démarrer le travail de l'imagination conspirationniste. On peut en voir une preuve dans ce révélateur qu'est le *Livre jaune* dont l'auteur puise aux mêmes sources que Dan Brown. C'est aussi en référence à *L'Énigme sacrée* (notamment) que Holey mentionne le « Prieuré de Sion » ou les *Illuminati* pour développer le thème du complot mondial, mais sans prendre la peine de nettoyer son discours de ses implications antijuives et antimaçonniques, teintées de satanisme. Dans le *Livre jaune n° 6* (2001), on lit par exemple, au chapitre 12 (intitulé « Les Protocoles des Sages de Sion ») : « Les leaders des *Illuminati* sont un petit groupe puissant de banquiers internationaux, d'industriels, de scientifiques, de responsables militaires et politiques, d'éducateurs, d'économistes. Tous ont adopté la doctrine luciférienne d'Adam Weishaupt et d'Albert Pike [présenté comme le grand disciple américain de Weishaupt]. Ils vénèrent Lucifer [...]. Ils reprennent à leur compte la conspiration luciférienne, pour prendre

1. Voir Taguieff, 2005, chap. I. La diabolisation du catholicisme utilise désormais la référence à l'*Opus Dei*, présenté comme une secte manipulatrice et criminelle à l'intérieur de l'Église. Voir *supra*.

le contrôle absolu dans le monde. [1]» Trait caractéristique de la fabrication de ce genre de récits mythopolitiques : la reprise sans distance critique de légendes sur tel ou tel personnage lié à la mythologie des «sociétés secrètes», ici Adam Weishaupt (1748-1830), chef des «Illuminés de Bavière»[2], ou Albert Pike (1809-1891), auquel il est devenu rituel, dans les milieux antimaçonniques, d'attribuer un culte luciférien[3]. Albert Pike, avocat et général devenu maçon en 1850, avait été élu en 1859 Souverain Grand Commandeur du Grand Conseil du Rite, pour la région Sud des États-Unis, fonction qu'il occupa pendant trente-deux ans. Il s'agit donc d'un personnage historique d'une certaine importance, mythologisé par Léo Taxil, fondateur en cela d'une tradition polémique antimaçonnique dont témoignent la plupart des auteurs conspirationnistes

1. *Livre jaune n° 6*, p. 151.
2. Voir Poncins, 1975, pp. 94-96; Coston, 1979; Ploncard d'Assac, 1983, pp. 107-117. Rappelons que, pour une étude historique des Illuminés de Bavière, la thèse de René Le Forestier (1868-1951), parue en 1914, reste l'ouvrage de référence (Le Forestier, 2001).
3. C'est Léo Taxil qui, dans sa polémique antimaçonnique, a inventé de toutes pièces les thèmes d'accusation visant Albert Pike, repris indéfiniment jusqu'aux plus récents pamphlets conspirationnistes : Pike reste l'un des «Grands Prêtres du culte luciférien» censés contrôler la «Synagogue de Satan» (Carr, 2005b, pp. 166-167). Voir par exemple Meurin, 1893, pp. 210, 215, 433-434, 450, 457-459. La satanisation de Pike, fondée sur les accusations de Taxil, est un thème polémique partagé par la plupart des auteurs conspirationnistes se réclamant du christianisme : Meurin, Jouin, Webster, Queenborough, Carr, Griffin, Monast, etc. Voir Taguieff, 2005, Annexes, notamment le texte de Myron Fagan (pp. 459-468).

depuis la dernière décennie du XIXe siècle[1]. Le très imaginatif Taxil, inventeur du « Rite Palladique Réformé nouveau » (dénoncé comme un culte satanique), présentait Pike comme le pape luciférien du « Palladisme » à l'échelle mondiale, auquel aurait succédé le Grand Maître italien Adriano Lemmi (1822-1906) – autre personnage historique « fictionné » par Taxil[2]. En 1994, le conspirationniste canadien Serge Monast, en fidèle disciple de Taxil, présentait ainsi le célèbre franc-maçon américain : « Albert Pike, Grand Pontife de la Franc-Maçonnerie universelle, franc-maçon du 33e degré, Grand Prêtre de l'Église satanique [...][3] ».

L'Énigme sacrée aura donc joué le rôle d'un texte fondateur, et ce, à un double titre. D'abord par l'invention et la diffusion de légendes constitutives d'une « histoire alternative » susceptible de fournir des ressources symboliques aux romanciers (et plus généralement à tout créateur de fictions), ensuite en offrant aux théoriciens ou aux visionnaires politiques situés à l'extrême droite de quoi renouveler leurs visions paranoïaques de la marche de l'Histoire ou du fonctionnement de l'ordre social.

Il faut enfin relever une dernière caractéristique des romans à énigmes de Dan Brown : ils exploitent les passions ambivalentes du grand public contemporain vis-à-vis de la science, qui nourrit le besoin de merveilleux tout en

1. Voir Introvigne, 1997, pp. 145-156, 175-179, 201-204, 233-235, 323.
2. Voir Weber, 1964.
3. Monast, 1994, p. 25; et pp. 13-16, 25-26.

déclenchant des réactions d'angoisse. C'est ainsi que, dans *Anges et Démons*, fonctionnent la mise en scène du CERN (Laboratoire européen de physique des particules[1], lequel n'a rien de secret), les allusions à la théorie du Big Bang et surtout le traitement du thème de l'antimatière, énergie « révolutionnaire » susceptible d'être utilisée comme une « nouvelle arme dévastatrice » dans une perspective terroriste. Les liens entre les activités secrètes des *Illuminati* contre le catholicisme et pour l'instauration du Gouvernement mondial, supposant un usage « satanique » ou « luciférien » de la science, sont ainsi définis par le professeur Langdon lui-même :

> « Le but ultime des *Illuminati*? L'anéantissement du catholicisme. Pour les adeptes de la secte, les dogmes et les superstitions de l'Église représentaient les pires ennemis du genre humain. Les progrès de la science, estimaient-ils, seraient irrémédiablement compromis si la religion continuait à promouvoir ses pieuses légendes comme des vérités absolues. Dès lors, l'humanité serait vouée à un futur obscurantiste émaillé d'absurdes guerres de religion. [...] La puissance des *Illuminati* en Europe n'a cessé de croître et ils ont poussé leur avantage dans la jeune démocratie américaine, dont les dirigeants de l'époque – George Washington, Benjamin Franklin – étaient des maçons. Des maçons, mais des hommes honnêtes et des chrétiens, tout à fait inconscients de l'emprise des *Illuminati* sur la franc-maçonnerie. Les *Illuminati* ont profité de cette infiltration

---

1. Le Conseil européen pour la recherche nucléaire (CERN) fut créé en 1952. Devenu le Laboratoire européen de physique des particules, ce centre de recherche est toujours désigné par l'acronyme CERN. Son siège est à Genève.

à grande échelle et ils ont trouvé peu à peu, dans la banque, l'université et l'industrie de l'époque, les soutiens qui devaient leur permettre de financer leur grand dessein. [...] Rien de moins que la fondation d'un État mondial unifié, une sorte de Nouvel Ordre mondial séculier. [...] Ce Nouvel Ordre mondial [...] était fondé sur la raison scientifique. Ils l'ont appelé leur doctrine luciférienne. L'Église proclamait que Lucifer était une référence au diable, mais la confrérie ne voulait entendre que le sens premier du terme : en latin *Lucifer* signifie “le porteur de lumière, l'illuminateur”.[1] »

Le lecteur du *Livre jaune n° 7* ne peut que s'y retrouver : n'a-t-il pas lu le chapitre du livre de Holey consacré au thème « Infiltrer l'Église catholique » ? Il y a notamment trouvé ces révélations convergentes ou complémentaires : « Depuis la Révolution française, Satan et ses alliés de l'élite n'épargnent plus aucun pays. [...] Le plus grand triomphe des *Illuminati* est de s'être approprié l'Église catholique et romaine ! Le plan des *Illuminati* d'un combat sans pitié contre le catholicisme semble fonctionner comme prévu. La Révolution française, qui a été planifiée par Adam Weishaupt à travers diverses sociétés secrètes comme celle des Jacobins [*sic*], a détruit la spiritualité catholique en France, sans pitié. [2]»

Au seuil du troisième millénaire, nous voyons des essayistes, des pamphlétaires et des auteurs de fictions puiser dans le même stock de représentations ésotéro-complotistes, enrichi des visions délirantes alimentées par les pro-

1. Brown, 2005, pp. 52-53.
2. *Livre jaune n°* 7, 2004, p. 159.

grès techno-scientifiques, qu'il s'agisse de la recherche nucléaire ou de la conquête spatiale, de la biochimie ou du génie génétique. Dans le monde globalisé, les arrière-mondes se multiplient. Et le diable ne cesse de réapparaître, sous de nouvelles métamorphoses.

II

Le mythe du complot juif mondial : les *Protocoles des Sages de Sion*

> « De nos jours, tous les gouvernements du monde entier sont consciemment ou inconsciemment soumis aux ordres de ce grand super-gouvernement de Sion [...]. Aucun doute n'est permis. Avec toute la puissance et terreur de Satan, le règne triomphal du Roi d'Israël s'approche de notre monde dépravé ; le Roi issu du sang de Sion – l'Antéchrist – est près de monter sur le trône de l'Empire universel. Les événements se précipitent dans le monde avec une effroyable rapidité ; discordes, guerres, rumeurs, famines, épidémies et tremblements de terre – tout ce qui, hier encore, était impossible, est devenu aujourd'hui un fait accompli. Les jours défilent, comme s'ils le faisaient au bénéfice du peuple élu. »
>
> Serge Alexandrovitch Nilus[1]

1. Nilus, 1905, Épilogue ; texte cité partiellement par Cohn, 1967, p. 285 (trad. modifiée). Voir aussi Fry, 1931, pp. 263-265.

Depuis l'automne 1967, en réaction immédiate à la victoire israélienne au terme de la brève guerre des Six Jours (5-10 juin 1967), source de ressentiment pour l'ensemble des pays arabes, c'est au Proche-Orient que ne cesse de renaître le mythe du « complot juif mondial », sous une forme adaptée à la propagande anti-israélienne et plus largement « antisioniste »[1]. C'est aussi du Proche-Orient qu'est relancé régulièrement, au nom de l'antisionisme, un ensemble de rumeurs, de thèmes d'accusation et de stéréotypes négatifs visant les Juifs en tant que « sionistes », traités comme de nouvelles incarnations du Diable. Le postulat commun à toutes les formes d'antisionisme est que les « sionistes » complotent, agissent secrètement en vue de réaliser des objectifs inavouables. Cette représentation diabolisante des « sionistes » est devenue la définition ordinaire des « sionistes », chassant toute autre signification non politique du terme (militants du mouvement de libération du peuple juif, partisans du nationalisme juif en tant que solution de la « question juive », etc.). Ces

1. Voir Taguieff, 2004b, pp. 640-644, 744-755, 783-796.

derniers sont dénoncés à travers des thèmes d'accusation portés par le discours de propagande palestinien et plus largement arabo-musulman (puis musulman tout court, en Iran, en Malaisie, etc.), qui démonise Israël comme État « impérialiste », « colonialiste » et « raciste ». Les « sionistes » se caractérisent donc, dans la propagande antisioniste, par leur propension à tromper, voler, spolier, piller, exploiter le bien ou le travail d'autrui, à conquérir et à dominer sans partage, et, pour finir, à massacrer, voire exterminer le peuple palestinien. Il y a là une reconstruction du « sionisme » en tant que mythe politique répulsif, réduit à un programme de génocide visant le « peuple palestinien », à un prétendu « palestinocide » élargi par certains polémistes délirants à un « arabocide », voire, chez les islamistes radicaux, à un « islamocide ». Ce discours « antisioniste » radical s'est mondialisé, au point de fonctionner comme une vulgate d'extension planétaire.

C'est dans le sillage de la propagande « antisioniste » mondialisée que s'est opéré le retour du plus célèbre faux de la littérature antijuive produite par l'Occident dans l'actualité politique internationale : les *Protocoles des Sages de Sion*, texte dont on sait qu'il est le principal vecteur, depuis le début du XXe siècle, du mythe de la conspiration juive mondiale[1]. De l'automne 1967 au printemps 1968, les *Protocoles* (en arabe, mais aussi en français et en anglais) sont massivement réédités dans plusieurs pays du Proche-

1. Voir Cohn, 1967 ; Taguieff, 2004a et 2004b, pp. 617-817 ; De Michelis, 2004 ; Ben-Itto, 2005 ; Hagemeister, 1995b, 1997, 2005.

Orient. Le faux est alors ordinairement présenté comme un document juif révélant les « plans secrets d'Israël ». Cet usage « antisioniste » des *Protocoles* est encore aujourd'hui dominant. Mais il s'est réinscrit dans le mythe du « méga-complot » sioniste, qui réinterprète le nationalisme juif comme un projet secret, et satanique, de conquête du monde : le « sionisme mondial ».

Autant que sa fabrication franco-russe, la diffusion, la réception et l'exploitation politique de ce faux ont une histoire, qui montre notamment la surprenante aptitude de ce texte à être recyclé dans des contextes fort divers. Cette haute adaptabilité tient à l'indétermination du texte, qui ne comporte aucune information permettant de le situer précisément. Dans chaque contexte sociohistorique, le document se charge de significations nouvelles, adaptées à l'usage qu'on en fait. C'est aux préfaciers ou aux postfaciers du faux d'en fournir un guide de lecture en faisant écho aux hantises ou aux peurs de leurs contemporains.

1. La fabrication et la première diffusion en Russie des *Protocoles des Sages de Sion*

Les *Protocoles* ont été fabriqués à Paris, en 1900-1901, par les services de la police politique secrète du Tsar, l'Okhrana, dont la section étrangère était dirigée de Paris par Pierre Ivanovitch Ratchkovski (1850?-1911)[1].

1. Sur ce grand manipulateur, dénonciateur de complots imaginaires et organisateur de complots réels, voir Cohn, 1967, pp. 83-92, 97, 101-

Ratchkovski a fait appel, pour réaliser ce travail, à l'un de ses amis, le faussaire occasionnel Matthieu Golovinski (1865-1920). Ce document, se présentant comme les minutes ou le compte rendu de séances secrètes tenues par les plus hauts dirigeants du «judaïsme mondial», était censé révéler leur programme de conquête du monde, et par là même mettre en garde les dirigeants russes, et plus largement le public mondial, contre les menées de si dangereux conspirateurs. L'antisémitisme intervient ici comme instrument de mobilisation et mode de légitimation : il s'agissait à la fois d'empêcher la modernisation libérale de la Russie en la présentant comme faisant partie du projet juif de domination mondiale et de justifier comme préventives toutes les mesures antijuives ou anti-libérales susceptibles d'être prises par le pouvoir tsariste. Dans leurs textes d'accompagnement (préfaces ou postfaces), la plupart des éditeurs des *Protocoles* affirment que ces prétendues séances secrètes ont eu lieu lors du Premier Congrès sioniste, tenu à Bâle du 29 au 31 août 1897[1]. Et c'est quelques jours après l'ouverture, le 23 août 1903, du 6e Congrès sioniste que les *Protocoles* ont commencé à être publiés pour la première fois, en feuilleton, dans le journal d'extrême droite *Znamia* («Le Drapeau»), sous le titre *Programme de la conquête du monde par les Juifs* – le document (structuré en 22 séances) est présenté par le «traducteur» comme étant les «Protocoles des séances de l'union mondiale des

103, 106, 109-110; Poliakov, 1985, pp. 165, 189, 219, 223-228, 230; Taguieff, 2004a, *passim*, et 2004b, pp. 618, 648-642, 707-736.

1. Voir Hagemeister, 1997.

francs-maçons et des Sages de Sion[1] ». En décembre 1905, les *Protocoles* font l'objet de deux publications distinctes. Ils sont d'abord publiés dans un libelle anonyme qui paraît à Saint-Pétersbourg le 13 décembre 1905, *La Source de nos maux*, sous le titre « Extraits des Protocoles anciens et modernes des Sages de Sion de la société mondiale des francs-maçons » (27 séances). Ils sont ensuite, quelques jours plus tard, publiés à Tsarskoïe Selo en appendice à la 2e édition du livre de l'écrivain mystique Serge A. Nilus (1862-1929), *Le Grand dans le Petit, et l'Antéchrist en tant que possibilité politique imminente*, où ils sont présentés comme un document dérobé aux « archives secrètes de la Chancellerie secrète de Sion qui se trouve maintenant sur le territoire français » (24 séances)[2]. C'est cette version qui sera retenue ultérieurement par la plupart des traducteurs du faux. En janvier 1906 paraît une nouvelle édition des *Protocoles* (comprenant 27 séances), inclus dans la 3e édition du pamphlet de Georges V. Boutmi (1856-1927 ?), *Discours accablants. Les Ennemis du genre humain*[3], où le document

1. Note de présentation anonyme, attribuable au directeur du quotidien, Pavolachi Krouchevan. Voir De Michelis, 2001, p. 81 (pp. 81-82 : traduction italienne de cette note).
2. Voir Hagemeister, 1995a, 1996.
3. L'ouvrage est publié à Saint-Pétersbourg. Il comporte notamment un texte de Boutmi daté du 9 juillet 1905 : « Note informative sur les Juifs », et un autre intitulé « Conclusion sur les *Protocoles* », daté du 5 décembre 1905. Voir De Michelis, 2001, pp. 165-180. Mgr Jouin, correspondant de Boutmi comme l'avait été Maurice Talmeyr, publiera en 1922 une traduction française de cette édition des *Protocoles* (Boutmi, 1922).

est intitulé « Protocoles extraits des archives secrètes de la Chancellerie principale de Sion », puis « Fragments des Protocoles anciens et modernes de l'union mondiale des francs-maçons ». Les éditeurs du faux l'inscrivent ainsi explicitement dans la catégorie des prétendues preuves du « complot judéo-maçonnique » – qui prend déjà la forme d'un « complot sionisto-maçonnique », représentation du « mégacomplot » qui s'est banalisée à la fin du XXe siècle[1].

Comment comprendre par ailleurs cette double qualification des *Protocoles*, qu'on trouve à la fois dans *La Source de nos maux* et dans *Les Ennemis du genre humain* : « anciens et modernes » ? La réponse se trouve dans l'article du publiciste d'extrême droite Mikhaïl Menchikov (1859-1918), « Conspirations contre l'humanité » (*Novoe vremja*, 7/20 avril 1902)[2], où sont mentionnés pour la première fois les *Protocoles*. Dans son article, Menchikov rapporte les propos d'une « dame mystérieuse » sur les *Protocoles*, qu'elle attribue expressément aux « Anciens Sages » d'Israël :

> « Dès 929 av. J.-C. à Jérusalem, au temps du roi Salomon, un complot secret fut fomenté par lui et par les sages juifs contre tout le genre humain. Les protocoles de ce complot et leurs commentaires ont été conservés en grand secret, se transmettant de génération en génération [...]. Les chefs du peuple juif, à ce qu'il semble, ont décidé sous le roi Salomon de sou-

1. Voir l'article « La franc-maçonnerie : la pègre sioniste mondiale... », mis en ligne le 18 avril 2004 sur un site islamiste, « La Voix des Opprimés », et reproduit avec mes commentaires dans l'Annexe X de mon livre *La Foire aux Illuminés*, 2005, pp. 518-522.
2. Texte traduit en italien *in* De Michelis, 2001, pp. 77-80.

mettre à leur pouvoir toute l'humanité et d'ancrer en son sein le royaume de David pour toujours. [...] En se répandant sur la terre, les Juifs se sont engagés à concentrer entre leurs mains les capitaux de tous les pays et de sucer et d'asservir ainsi, comme entre des tentacules, les masses populaires. Une ruse jésuitique, on pourrait dire diabolique, devait permettre aux Juifs, par la propagande du libéralisme, du cosmopolitisme et de l'anarchie, de secouer les fondements de l'ordre et de la chrétienté et ensuite, une fois qu'ils auraient définitivement conquis le pouvoir, ils devaient asservir toute l'humanité dans le despotisme le plus cruel qu'ait connu le monde.[1] »

Les « Sages de Sion », figures fictives du mythe anti-judéo-maçonnique ainsi réactivé, illustrent donc une formation de compromis entre les « Anciens Sages d'Israël » (de l'épo-

1. Extraits cités d'après De Michelis, 2004, p. 34. La « dame mystérieuse » censée posséder le manuscrit des *Protocoles* qu'elle aurait reçu d'un journaliste français est vraisemblablement Juliana Dmitrievna Glinka (1844-1918), agent russe à Paris, disciple de Mme Blavatsky et amie intime de Juliette Adam (1836-1936), directrice de la *Nouvelle Revue*. L'une et l'autre, ainsi que Élie de Cyon (Ilya Fadéiévitch Zion, ou Tsion; 1843-1912), ont très probablement emprunté le pseudonyme « Comte Vasili » (ou « Wasili »), ou « Paul Vasili » (parfois orthographié « Vassili »). Voir Rollin, 1991, pp. 61, 370-371, 392; Cohn, 1967, pp. 103-105, 108-110; De Michelis, 2004, p. 40, note 29. Ce pseudonyme littéraire avait été créé par la princesse Catherine Radziwill (1858-1941) en 1883. Elle le reprit en 1914. Voir Morcos, 1962, pp. 284-298. La princesse Radziwill fut l'une des premières personnes à témoigner en faveur de la thèse de l'inauthenticité des *Protocoles*. Dans un témoignage (rémunéré) publié en anglais le 25 février 1921 (*American Hebrew*) et en français le 15 mars 1921 (*Revue Mondiale*), la princesse Radziwill affirme que le faux a été fabriqué à Paris par son ami Matthieu Golovinski, sous les ordres de Ratchkovski. Voir Taguieff, 2004a, pp. 56-58; 2004b, pp. 724-726.

que de Salomon), les hauts dirigeants sionistes (Theodor Herzl, Asher Ginzberg) et les « supérieurs inconnus » de la « judéo-maçonnerie » (emprunt au mythe construit autour des « Illuminés de Bavière »[1]). Mais le mystique Nilus y ajoute une dimension apocalyptique. À la fin de l'Épilogue de son livre, *Le Grand dans le Petit* (1905), Nilus adapte ainsi la légende de l'Antéchrist à la vision de la conspiration juive mondiale véhiculée par les *Protocoles* :

> « [...] De nos jours, tous les gouvernements du monde entier sont consciemment ou inconsciemment soumis aux ordres de ce grand super-gouvernement de Sion, parce que toutes les valeurs sont entre ses mains, car tous les pays sont débiteurs des Juifs pour des sommes qu'ils ne pourront jamais payer. [...] Il y aura bientôt quatre ans que les *Protocoles des Sages de Sion* sont en ma possession. Dieu sait combien j'ai tenté d'efforts infructueux pour les mettre en lumière, et même pour prévenir ceux qui sont au pouvoir en leur révélant les causes de l'orage au-dessus de l'apathique Russie, qui semble avoir malheureusement perdu toute notion de ce qui se passe autour d'elle. [...] Aucun doute n'est permis. Avec toute la puissance et terreur de Satan, le règne triomphal du Roi d'Israël s'approche de notre monde dépravé ; le Roi issu du sang de Sion – l'Antéchrist – est près de monter sur le trône de l'Empire universel. Les événements se précipitent dans le monde avec une effroyable rapidité ; discordes, guerres, rumeurs, famines, épidémies et tremblements de terre – tout ce qui, hier encore, était impossible, est devenu aujourd'hui un fait accompli. Les jours défilent, comme s'ils le faisaient au bénéfice du peuple élu. Le temps fait défaut pour scruter minutieusement l'histoire de l'humanité du point de vue des "mystères de l'iniquité" révélés, pour prouver historiquement l'influence qu'ont

1. Voir Taguieff, 2005, chap. III.

eue les "Sages d'Israël" sur les malheurs du genre humain, pour prédire l'avenir imminent de l'humanité qui approche, ou pour révéler l'acte final de la tragédie mondiale. Seule la Lumière du Christ et de Sa Sainte Église universelle peut pénétrer dans les profondeurs sataniques et révéler la profondeur de leur perversité. Je sens dans mon cœur que l'heure a sonné de la convocation du VIIIe Concile œcuménique, auquel se rassembleront, oublieux des querelles qui les ont séparés pendant tant de siècles, les pasteurs et les représentants de la Chrétienté tout entière, afin de se préparer à la venue de l'Antéchrist.[1] »

Le sionisme, plan secret de domination du monde

Dès les premières publications du faux, entre 1903 et 1906, le « sionisme » était reconstruit comme un projet de domination du monde, il était transformé en un puissant mythe répulsif dont l'expression aujourd'hui courante de « sionisme mondial » représente le dernier avatar. L'agitateur antijuif Pavolachi A. Krouchevan (1860-1909), créateur du quotidien *Znamia* en février 1903, avait organisé le pogrom de Kishinev le 21 avril de la même année, avant de faire paraître sa version russe du faux juste après le 6e Congrès sioniste (ouvert le 23 août 1903), comme pour fournir un décryptage du projet sioniste. Publier les *Protocoles* quatre mois après le pogrom de Kishinev, c'était aussi, pour cet antisémite professionnel, fournir une légitima-

1. Texte cité partiellement par Cohn, 1967, p. 285 (trad. modifiée). Voir aussi Fry, 1931, pp. 263-265. Ce livre rédigé par l'antisémite professionnelle Leslie Fry (épouse Chichmarev), membre de l'équipe financée par Henry Ford pour prouver l'authenticité des *Protocoles*, fut publié par les soins de Mgr Jouin, directeur de la *Revue internationale des sociétés secrètes*. Voir Taguieff, 2004a, p. 67.

tion des crimes commis. Dans la dernière édition, publiée en janvier 1917, de son livre contenant les *Protocoles*, sous le nouveau titre *Il est tout près, à la porte… L'Antéchrist approche et le règne du Diable sur terre est proche*, Serge A. Nilus attribue clairement le « document » aux dirigeants du sionisme : « Ces *Protocoles* ne sont rien d'autre qu'un plan stratégique pour conquérir le monde et le placer sous le joug d'Israël, […] un plan élaboré par les dirigeants du peuple juif […], finalement présenté au Conseil des Sages par le "Prince de l'Exil", Théodore Herzl, lors du premier Congrès sioniste […].[1] » Lorsqu'en 1924 Theodor Fritsch (1852-1933), l'idéologue « *völkisch* » qu'Adolf Hitler appellera affectueusement le « vieux maître » de l'antisémitisme allemand[2], publiera sa traduction du faux sous le titre *Les Protocoles sionistes* (sous-titrés « Le programme d'un gouvernement mondial secret »), il choisira d'interpréter le « péril juif » comme péril « sioniste », alors même que l'usage contextuel dominant des *Protocoles* consistait à leur faire jouer un rôle majeur dans la propagande antibolchevique, en tant que document censé révéler un « complot judéo-maçonnique » à visage bolchevique[3].

Le principal but des faussaires de l'Okhrana, au début des années 1900, était de disqualifier toute tentative de

1. Nilus, 1917, pp. 88-89. Voir Taguieff, 2004a, p. 143.
2. Fritsch est l'auteur du *Catéchisme des antisémites* (*Antisemiten-Katechismus*), paru en 1887, ouvrage de compilation qui fut réédité en 1907 sous le titre *Handbuch der Judenfrage* (« Manuel de la question juive »), régulièrement augmenté à l'occasion de ses nombreuses réimpressions (Fritsch, 1934). Voir Tabary, 1998 et 2000.
3. Telle est la thèse d'Alfred Rosenberg en 1923. Voir *infra*.

modernisation « libérale » de la Russie impériale en la présentant comme un projet « judéo-maçonnique ». Toute libéralisation du régime tsariste était ainsi réduite à une « judaïsation », donc à une déchristianisation. Mais aussi à une dérussification, message auquel les nationalistes russes étaient bien sûr particulièrement sensibles[1]. Dans un contexte marqué par une intense agitation révolutionnaire à laquelle répondait une répression impitoyable, le métropolite Vladimir, le 14 octobre 1905, lançait à Moscou un appel où, se référant explicitement aux *Protocoles*, il dénonçait le complot juif derrière les émeutes ouvrières :

> « Si seulement nos malheureux ouvriers savaient qui les dirige, qui leur envoie des agitateurs et des instigateurs, ils s'en détourneraient avec horreur. [...] Leur principal nid est à l'étranger, et ils rêvent de réduire en esclavage le monde entier ; dans leurs *Protocoles secrets* ils nous traitent, nous autres chrétiens, d'animaux auxquels Dieu, assurent-ils, n'a donné qu'une apparence humaine, afin qu'eux, les soi-disant Élus, n'aient point de répugnance à utiliser nos services. [2] »

De 1903 à la révolution d'Octobre, les *Protocoles* sont restés une arme idéologique dans les mains des antisémites russes et des policiers manipulateurs, dont le plus célèbre fut le redoutable Pierre Ivanovitch Ratchkovski. De machine à diaboliser les réformes dans la seule Russie, le faux n'est devenu le principal vecteur du mythe

1. Ce thème ressurgira dans les années 1980 et 1990 en Russie dans les milieux nationalistes, à travers des pamphlets dénonçant la « russophobie ». Voir Taguieff, 2004a, pp. 194 *sq.*
2. Discours cité d'après Poliakov, 1985, p. 217.

de la « conspiration juive mondiale », exportable hors du monde russe, qu'après l'assassinat de la famille impériale (dans la nuit du 16 au 17 juillet 1918) et la fin de la Première Guerre mondiale. Le « péril juif » a pris les couleurs du « péril rouge » avec le meurtre de Nicolas II et de sa famille, dénoncé aussitôt par les Russes « blancs » comme un « crime rituel » commis par les « bolcheviks juifs ». En 1919, les émigrés russes anticommunistes diffusent les *Protocoles,* souvent sous la forme de résumés ou d'extraits, dans de nombreuses régions du monde : des États-Unis au Japon, de l'Allemagne à l'Asie mineure, de la France au Proche-Orient. À Berlin, en 1919, deux immigrés russes, Pierre Nicolaïevitch Chabelski-Bork et Théodore Victorovitch Vinberg, antijuifs fanatiques, publient un annuaire, *Loutch Svieta* (Le rayon de lumière), qui diffuse le mythe du complot judéo-maçonnique mondial, en se référant notamment aux *Protocoles des Sages de Sion.* Les « Sages de Sion » (les dirigeants du complot mondial) sont accusés d'avoir fomenté la Révolution française, la guerre mondiale ainsi que les révolutions respectivement russe et allemande de 1917-1918. Les deux agitateurs antijuifs banalisent, en 1919, l'une des identifications chimériques du « centre secret » d'où serait dirigé le grand complot : l'Alliance israélite universelle, dont le siège est situé à Paris. On lit dans la première livraison de *Loutch Svieta* :

> « Les révolutions allemande et russe sont liées par le fait qu'elles ont été artificiellement provoquées à l'aide du réseau mondial des organisations judéo-maçonniques. Dans ces organisations, la franc-maçonnerie de degré inférieur joue le rôle

d'un aveugle instrument entre les mains de la fameuse [...] Alliance israélite universelle, conseil secret des Sages du Peuple d'Israël.[1] »

2. La première diffusion mondiale des *Protocoles* : usages antibolcheviques

Traduits en allemand dès janvier 1920 puis en anglais le mois suivant, les *Protocoles* commencent leur longue carrière internationale, avec des titres de remplacement, des surtitres ou des sous-titres censés expliciter leur contenu ou leur message central : « Le Péril juif » (*The Jewish Peril*), « Le Péril judéo-maçonnique », « Les Secrets des Sages de Sion », « La Cause des troubles mondiaux », « Un homme averti est un homme armé », « Vers la domination du monde », « L'Internationale juive », « Les Protocoles sionistes. Le programme du gouvernement mondial secret », etc. Par leur diffusion mondiale, les *Protocoles* ont transformé en évidence idéologique la représentation d'un ennemi absolu, d'autant plus redoutable qu'il était susceptible, en dépit de son unicité, de prendre diverses figures (du « banquier international » au révolutionnaire internationaliste). Le faux donne un nom à l'ennemi invisible, diabolique, insaisissable : « les Sages de Sion ».

Au début de mai 1920, alors que venait de paraître, à peine trois mois plus tôt, la première traduction anglaise

1. *Loutch Svieta*, Berlin, vol. I, 1919, p. 50 (cité par Cohn, 1967, pp. 134-135).

des *Protocoles*, due à George Shanks, sous le titre *The Jewish Peril* (Londres, Eyre and Spottiswoode, février 1920; tirage : 30 000 ex.), le *Times* de Londres s'est risqué à livrer son opinion sur ce document dénoncé comme un faux par certains, caractérisé comme « troublant » par d'autres, cité comme « révélateur » par d'autres encore. En publiant le 8 mai 1920 un long éditorial (non signé) consacré aux *Protocoles* : « *The Jewish Peril*, un pamphlet dérangeant, demande d'enquête », le très respectable *Times* a lancé le document « troublant » en le présentant comme soulevant des questions dignes d'intérêt. C'est le sens de la demande d'enquête approfondie à laquelle appelle expressément l'article, multipliant les questions rhétoriques. Pour être crédible dans son entreprise, qui reste prudente, de mise en acceptabilité idéologique des *Protocoles*, l'auteur anonyme fait mine de s'inquiéter, en posant la question de savoir si une domination juive, une *Pax Judaïca*, ne se serait pas subrepticement installée dans le monde. Les plus significatifs passages de cet article doivent être lus, pour ce qu'ils permettent de reconstituer la réception du faux dans les milieux de l'élite britannique :

> « Que signifient-ils, ces *Protocoles*? Sont-ils authentiques? Une bande de criminels ont-ils réellement élaboré pareils projets, et se réjouissent-ils en ce moment même de leur accomplissement? S'agit-il d'un faux? Mais comment expliquer alors le terrible don prophétique qui a prédit tout ceci à l'avance? N'aurions-nous lutté au cours des années passées contre la domination mondiale de l'Allemagne que pour affronter à présent un ennemi bien plus dangereux? N'aurions-nous échappé,

au prix d'énormes efforts, à la *Pax Germanica*, que pour succomber à la *Pax Judaïca*? Les Sages de Sion, tels que leurs *Protocoles* les décrivent, ne seraient pas des tyrans moins cruels que l'auraient été Guillaume II et ses affidés. [...] Une enquête sur ces prétendus documents et leur histoire est des plus souhaitables. Celle-ci n'est claire en aucune manière si l'on s'en réfère à la traduction anglaise. D'après l'analyse interne, ils sembleraient avoir été écrits par des Juifs, pour des Juifs, ou être présentés sous la forme de conférences – ou mieux de notes en vue de conférences – faites par des Juifs et pour des Juifs. Si tel est le cas, dans quelles circonstances ont-ils été rédigés, et pour faire face à quelle situation d'urgence interne au monde juif? Mais, peut-être, devons-nous rejeter toute cette affaire sans qu'il y ait enquête et laisser se répandre l'influence d'un tel livre sans qu'on ait procédé à des vérifications? [...] Si les *Protocoles* ont été écrits par les Sages de Sion, alors tout ce qui a été entrepris et fait contre les Juifs est justifié, nécessaire et urgent. [1]»

Dès 1920-1921, la plupart des idéologues et des propagandistes antisémites, en Allemagne, intègrent sans tarder les *Protocoles* dans leur attirail. Le romancier «*völkisch*» Arthur Dinter (1876-1948), rendu célèbre par son best-

1. Cet extrait du *Times* de Londres (éditorial, 8 mai 1920) a aussitôt été cité et exploité par les propagateurs des *Protocoles*, à titre de preuve de l'authenticité du «document». L'éditorial non signé (longtemps attribué à Wickham Steed ou à Robert Wilton, en réalité dû au Major-General Nikolaï Golejewski) était intitulé «*The Jewish Peril*: A Disturbing Pamphlet: A Call for Enquiry». Voir Lebzelter, 1978, pp. 21 *sq.*; Holmes, 1979, pp. 148, 279 (note 56); Moisan, 1987, pp. 51 *sq.*, et 2004, pp. 396-397; Taguieff, 2004a, pp. 35-40, et 2004b, pp. 682-683. La véritable identité de l'auteur de l'article a été révélée récemment par la rédaction du *Times* à Jean-François Moisan.

seller *Le Péché contre le sang* (*Die Sünde wider das Blut*, 1917[1]), conseille vivement la lecture des *Protocoles* dans les notes et indications bibliographiques incluses dans la réédition du roman en 1921. Le faux est l'un des quelques textes de référence cités dans l'opuscule posthume de l'idéologue « *völkisch* » Dietrich Eckart (1868-1923)[2], qui fut le mentor du jeune Hitler de 1919 à 1923 : *Der Bolchewismus von Moses bis Lenin. Zwiegespräch zwischen Adolf Hitler und mir* (« Le Bolchevisme de Moïse à Lénine. Dialogue entre Adolf Hitler et moi »)[3]. Dans cet ouvrage posthume paru à Munich en mars 1924 (aux éditions Hoheneichen)[4], Eckart mentionne les *Protocoles* comme l'une des lectures décisives faites par son ami et disciple Hitler[5]. En 1924-1925, Heinrich Himmler, inscrit depuis août 1922 à la

1. Le roman, publié en décembre 1917 à Leipzig par l'éditeur « *völkisch* » Matthes und Thost, est dédié à Houston Stewart Chamberlain. Voir Poliakov/Wulf, 1959, pp. 307-310; Berding, 1991, pp. 168-169; Conte/Essner, 1995, pp. 31-33, 37-38, 123-130; Fabréguet, 2000; Quinchon-Caudal, 2005, t. I, pp. 152-162.
2. Dietrich Eckart n'était pas membre de la Thule-Gesellschaft, mais l'un de ses invités réguliers, tout comme Alfred Rosenberg, Hans Frank et Gottfried Feder. Rudolf Hess, quant à lui, en était membre. Voir Halk, 2000, pp. 9-11. Sur les relations entre Rosenberg et Eckart, voir Laqueur, 1965, pp. 92-98. Pour une analyse du cas Eckart, voir Bärsch, 2002, pp. 60-98, 152-155, 321 *sq.*
3. Voir Nolte, 1970, vol. 3, pp. 140-154, 367-371 ; Nolte, 2002, pp 110-111 ; Baldwin, 2001, pp. 177-181 ; Breuer, 2003, pp. 363 *sq.*
4. Ernst Nolte, par un article pénétrant, a justement attiré l'attention des historiens du nazisme sur l'importance de ce texte. Voir Nolte, 1961 ; Bärsch, 2002, pp. 62-63.
5. Voir Maser, 1966, p. 112 (Maser, 1968, p. 95) ; Zentner, 1974, pp. 16, 18-19 ; Baldwin, 2001, pp. 173-176.

NSDAP, lit avec enthousiasme l'opuscule dû à l'une des éminences grises de la mouvance raciste/occultiste proche de la Thule-Gesellschaft (fréquentée par le jeune Alfred Rosenberg dès novembre 1918, à son arrivée à Munich)[1]. Quant à Hitler, il prend connaissance des *Protocoles* par la traduction de Gottfried zur Beek (pseudonyme de Ludwig Müller, dit Müller von Hausen), qui sort à la mi-janvier 1920 en Allemagne, sous le titre « Les Secrets des Sages de Sion » : *Die Geheimnisse der Weisen von Zion* (Charlottenburg, Verlag « Auf Vorposten » ; 120 000 exemplaires vendus dans l'année)[2]. Il lit aussi les extraits du livre de Gougenot des Mousseaux (1869) traduits (sous la direction de) et présentés par Alfred Rosenberg (*Der Jude, das Judentum und die Verjudung der christlichen Völker*, 1920), puis la traduction allemande d'extraits du livre attribué à Henry Ford, *Der internationale Jude* (vol. I, 1921 ; vol. II, été 1922).

On sait que le principal théoricien de ce qui, à la fin du XIXe siècle, sera baptisé le « péril judéo-maçonnique », fut Henri Gougenot des Mousseaux (1805-1876), auteur catholique traditionaliste et contre-révolutionnaire d'un ouvrage devenu légendaire dans les milieux antisémites européens : *Le Juif, le judaïsme et la judaïsation des peuples chrétiens* (1869)[3].

---

1. Voir Goodrick-Clarke, 1989, pp. 212 *sq.*
2. Voir Poliakov, 1977, p. 172 ; Berding, 1991, p. 169 ; Segel, 1995, pp. 60-79, 89-103 ; Levy, 1995, p. 122, note 10. Président de l'Union contre l'arrogance du judaïsme (*Verband gegen die Überhebung des Judentums*), Ludwig Müller (1851-1929) dirigeait également la revue *Auf Vorposten* (« Aux avant-postes »).
3. Voir Taguieff, 2004a, *passim* ; 2004b, pp. 172, 700-705 ; 2005, pp. 141 *sq.*

En 1921, un an avant de s'imposer comme le « philosophe » du parti national-socialiste[1], Alfred Rosenberg, grand admirateur de Gougenot des Mousseaux, en édita un volume d'extraits traduits en allemand et commentés par ses soins[2]. En affirmant que « les Juifs et les francs-maçons sont à la tête du monde actuel et œuvrent en coulisses[3] », Rosenberg se montrait un fidèle disciple du théoricien français du « complot judéo-maçonnique ». Mais il avait enrichi entre-temps la représentation du grand complot par la diabolisation du bolchevisme réduit à un avatar de « l'esprit juif », notamment dans deux essais publiés en 1920 : *La Trace du Juif au cours du temps*, et *Immoralité du Talmud*[4]. En 1923, Rosenberg publie un livre entièrement consacré aux *Protocoles*, censé ouvrir les yeux des Allemands sur la « domination juive », à travers la divulgation d'un « plan » très ancien, en cours de réalisation : *Les Protocoles des Sages de Sion et la politique juive mondiale* (*Die Protokolle der Weisen von Zion und die jüdische Weltpolitik*, Munich, Deutscher Volksverlag, Dr E. Boepple). Dans ce livre centré sur la dénonciation

1. C'est en 1922 que Rosenberg publia son commentaire du programme du parti nazi : *Das Parteiprogramm. Wesen, Grundzüge und Ziele der NSDAP*, Zentralverlag der NSDAP.
2. Cohn, 1967, p. 193; Rogalla von Bieberstein, 1978, p. 221; Morvan, 1995, p. 160; Gugenberger *et al.*, 1998, p. 110.
3. Alfred Rosenberg, cité par Katz, 1995, p. 302 (qui cite de Rosenberg : *Die Spur des Juden im Wandel der Zeiten*, Munich, Deutscher Volksverlag, 1920, pp. 88-109, et *Das Verbrechen der Freimaurerei*, Munich, 1921, p. 9).
4. Alfred Rosenberg, *Die Spur des Juden im Wandel der Zeiten*, *op. cit.*; *Unmoral im Talmud*, Munich, Deutscher Volksverlag, 1920.

du complot «judéo-bochevique», il prétend «décrire les faits les plus irréfutables de la politique mondiale contemporaine», afin que «le monde s'éveille et écarte une fois pour toutes ceux qui détruisent l'idée de l'État national-racial [*völkisch*]» (préface à la 1re édition)[1]. En octobre 1924 paraît la troisième édition du livre, comprenant une introduction où le principal idéologue du national-socialisme revient sur l'importance de la traduction des *Protocoles* en allemand, qui aurait selon lui fourni la véritable clé de l'Histoire à un large public jusque-là désorienté :

> «La parution des *Protocoles* en allemand vers la fin de 1919 fut aussitôt suivie d'une énorme effervescence. Des millions de gens y découvrirent soudain l'explication de tant de phénomènes contemporains qui leur étaient incompréhensibles autrement et qui n'étaient plus du tout le pur fruit du hasard, mais bien les conséquences de menées, jadis secrètes, mais désormais révélées, de chefs de classes, de partis et de peuples [...]. Ceux qui connaissent bien le judaïsme affirment que les pensées et les plans des *Protocoles* ne représentent rien d'inouï au sein de l'histoire juive, mais sont corroborés par tous les écrits juifs depuis les temps les plus anciens et jusqu'à l'époque actuelle. [2]»

C'est dans la postface à cette même quatrième édition de son livre sur les *Protocoles* que Rosenberg, après avoir rendu un bref hommage à Richard Wagner pour avoir caracté-

1. Voir Taguieff (dir.), 1992, t. II, p. 604.

2. Taguieff (dir.), 1992, t. II, pp. 609-614. On trouve dans ce passage l'une des prétendues preuves de l'authenticité des *Protocoles* : leur conformité aux croyances, aux conduites et aux projets des Juifs dans leur histoire. Plus simplement, la preuve par «l'esprit juif» qui imprégnerait le document. Voir Taguieff, 2004a, pp. 79-80.

risé « le Juif » comme « le démon plastique de la décadence [*Verfall*] humaine »[1], construit la figure du « Juif », entité « métaphysique », comme ennemi absolu, dans le cadre d'une vision de l'histoire universelle fondée sur le principe de la lutte à mort entre « le Juif » et « l'Aryen », ultime recyclage de la doctrine de la « lutte des races » :

> « Dans notre histoire, le Juif se dresse comme notre adversaire métaphysique. Malheureusement, nous n'en avons jamais clairement pris conscience. [...] Aujourd'hui, enfin, il semble que l'on perçoive et haïsse le principe éternellement étranger et ennemi qui s'est élevé si haut dans la puissance. Pour la première fois dans l'Histoire, l'instinct et la connaissance sont parvenus à la conscience claire ; et c'est du plus haut degré d'un sommet de puissance avidement escaladé que le Juif fera sa chute dans l'abîme. La chute ultime. Après cela il n'y aura plus aucune place pour le Juif, ni en Europe ni en Amérique.[2] »

L'idéologue Rosenberg[3] se fait visionnaire et, dans une bouffée d'inspiration millénariste, annonce l'avenir

---

1. Taguieff (dir.), 1992, t. II, p. 614. Rosenberg interprète ainsi la caractérisation wagnérienne : « Lorsqu'un peuple ou plusieurs sont affectés, par une époque de sécheresse de l'âme, d'une spiritualité stérile, [...] c'est le Juif qui apparaît en bonne place comme symbole, pour ainsi dire, de la décadence [*Niedergang*]. » Dans son *Journal*, en 1929, Goebbels note : « Der Jude ist der plastische Dämon des Verfalls. » Voir Breuer, 2003, p. 365, note 40. Sur le rôle de Wagner dans la radicalisation de l'antisémitisme allemand, voir Katz, 1980, pp. 185-194, et Katz, 1986 ; Poliakov, 1968, pp. 440-467, et 1971, pp. 256, 329-332 ; Scholz, 1993 ; Altounian, 1997.
2. Cette postface d'octobre 1924 est traduite dans Taguieff (dir.), 1992, t. II, pp. 614-615.
3. Alfred Rosenberg aura, dans le parti national-socialiste, le titre et

radieux promis au monde germanique après sa victoire définitive sur « le Juif » :

> « Sur les ruines de l'ancien monde émerge une époque nouvelle, un revirement radical dans tous les domaines par rapport aux idées du passé. L'un des signes annonciateurs de ce combat futur pour une métamorphose du monde n'est autre que la découverte de l'essence du démon responsable de notre décadence actuelle. C'est alors que la voie sera libre pour une ère nouvelle [...][1] »

C'est dans ces milieux « nationaux-racistes » allemands que le mythe du complot juif mondial entre en syncrétisme avec la vision raciste-aryaniste du monde : les Juifs sont fantasmés comme la plus grande menace pesant sur l'identité de la « race aryenne », donc sur « la civilisation », si l'on croit, comme Hitler dans le premier tome (1925) de *Mein Kampf*, que « l'Aryen est le Prométhée de l'humanité » et qu'il a « créé la civilisation[2] ». De la même manière, dans *Le Mythe du XXe siècle* (1930), Rosenberg oppose au « mythe nordico-germanique » le « rêve » ou l'« idéal » juif (ou « judéo-syriaque »), idéal parasite et destructeur qu'il caractérise ainsi :

> « Ce rêve [*Traum*] a été entretenu durant des siècles sur la montagne de Sion, le rêve de l'or, de la force du mensonge et de la haine. Ce rêve poussa le Juif à parcourir la terre entière.

la fonction de « Reichsleiter für die Weltanschauung », soit, littéralement : « Dirigeant du Reich [préposé] à la vision du monde ». Voir Fest, 1965, pp. 173-192 ; Cecil, 1972 ; Nova, 1986.

1. Voir Taguieff (dir.), 1992, t. II, p. 615.
2. Hitler, 1934, pp. 289, 291 (t. I, chap. XI).

Insatiable, le porteur de cauchemars survit parmi nous par la puissance de son rêve qui devient réel, mais destructeur. L'idéal du Juif, la domination de l'or et du monde [*Gold- und Weltherrschaft*], apparut pour la première fois dans toute sa force, il y a trois mille ans. Après beaucoup d'échecs, il était presque devenu tout puissant : domination de l'or et du monde. [1]»

3. La démystification et après : usages nazis

Dès l'été 1921, la démonstration philologique a été faite que les *Protocoles* étaient un faux paraphrasant pour l'essentiel le *Dialogue aux enfers entre Machiavel et Montesquieu*, pamphlet alors bien oublié de l'avocat Maurice Joly, publié à Bruxelles en 1864, et dirigé contre Napoléon III. Les arguments du despote, attribués à Machiavel dans le *Dialogue*, seront, dans le texte des *Protocoles*, avancés par le mystérieux « Sage de Sion » s'adressant à ses pairs, pour leur exposer les principales étapes de la réalisation, encore inachevée, de leur plan de conquête du monde par tous les moyens. Déjà, en 1920, des études critiques avaient établi que les *Protocoles* constituaient une paraphrase de faux antisémites antérieurs, tel le « Discours du Rabbin », publié en russe dès 1872[2]. Après l'été 1921, lorsque le journaliste Philip Graves (du *Times* de Londres) eut établi par une

1. Rosenberg, *Mythus*, 1935, p. 456 (tr. fr. modifiée, pp. 431-432).
2. Voir Taguieff, 2004a, pp. 421-426, et 2004b, pp. 118, 705-710, 735-736, 742. C'est Lucien Wolf (1857-1930) qui attira l'attention sur l'extrait du roman de Herman Goedsche (sous le pseudonyme de

comparaison de textes que les *Protocoles* étaient le résultat d'un plagiat (non seulement du *Dialogue* de Joly, mais aussi d'autres textes, dont certains étaient eux-mêmes des faux antijuifs ou des plagiats)[1], un coup d'arrêt fut porté à la diffusion mondiale du faux. Les milieux antisémites professionnels n'ont pas pour autant cessé de s'y référer comme à un document authentique et « révélateur », ils n'ont pas renoncé à le rééditer et à l'exploiter politiquement. Ce fut par exemple le cas en Allemagne, où les *Protocoles* ont été massivement diffusés par toutes les mouvances de l'extrême droite au cours des années 1920, jusqu'à l'orchestration internationale par les nazis, dès leur arrivée au pouvoir, d'une propagande antijuive fondée sur le mythe du complot juif mondial, qui permettait de construire le Juif comme « l'ennemi de tous les peuples ». Ce fut aussi le cas aux États-Unis, où l'industriel et milliardaire Henry Ford finança une campagne antijuive qui trouvait sa principale justification dans les prétendues « révélations » des *Protocoles.* Il a lui-même, entouré et conseillé par des Russes blancs antisémites, mis la main à la pâte, en publiant un long pamphlet antijuif intitulé *Le Juif international*, recueil d'articles inspirés par les *Protocoles* : quatre volumes parus entre octobre 1920 et mai 1922, le premier étant

Sir John Retcliffe), *Biarritz* (Berlin, Carl Sigism, 1868), publié séparément sous le titre « Discours du Rabbin » (Wolf, 1920, pp. 28-32).

1. Voir la série des articles parus dans le *Times*, les 16, 17 et 18 août 1921 (Graves, 1921). Le 18 août, le *Times* publie un éditorial en guise de conclusion : « La fin des *Protocoles* ». Voir Cohn, 1967, pp. 76-77 ; Moisan, 2004, pp. 403 *sq.* ; Taguieff, 2004a, pp. 59 *sq.*, et 2004b, pp. 618, 680-681, 728-729.

significativement sous-titré : « Le principal problème mondial » (tirage : 500 000 exemplaires). Avec *Le Juif international*, best-seller mondial (sous une forme abrégée, en un volume), Ford et son équipe d'antisémites professionnels ont fortement contribué à banaliser les thèmes de « l'Amérique juive » et de la « menace judéo-bolchevique ». Le bilan de la contre-attaque intellectuelle peut donc paraître décevant : après la démonstration philologique sans appel réalisée par Philip Graves en août 1921, les *Protocoles* n'en ont pas moins continué leur course, jusqu'à devenir un best-seller planétaire.

Les critiques destructrices et la démystification opérée par Graves n'empêcheront pas Hitler en 1925, dans *Mein Kampf* (I, chapitre XI)[1], de défendre la thèse de l'authenticité des *Protocoles*, en une saisissante synthèse de la plupart des arguments sophistiques avancés par les milieux antisémites de son époque :

> « Les *Protocoles des Sages de Sion*, que les Juifs renient officiellement avec une telle violence, ont montré d'une façon incomparable combien toute l'existence de ce peuple repose sur un mensonge permanent. Ce sont des faux, répète en gémissant la *Gazette de Francfort* et elle cherche à en persuader l'univers ; c'est là la meilleure preuve qu'ils sont authentiques. Ils exposent clairement et en connaissance de cause ce que beaucoup de Juifs peuvent exécuter inconsciemment. C'est là l'important. Il est indifférent de savoir quel cerveau juif a conçu ces

1. Le premier tome de *Mein Kampf* est publié le 18 juillet 1925. Hitler avait commencé à l'écrire à la suite du putsch des 8 et 9 novembre 1923 et du « procès de Hitler » du début de 1924.

révélations [*Enthüllungen*] ; ce qui est décisif, c'est qu'elles mettent au jour, avec une précision qui fait frissonner, le caractère et l'activité du peuple juif et, avec toutes leurs ramifications, les buts derniers auxquels il tend. Le meilleur moyen de juger ces révélations est de les confronter avec les faits. Si l'on passe en revue les faits historiques des cent dernières années à la lumière de ce livre, on comprend immédiatement pourquoi la presse juive pousse de tels cris. Car, le jour où il sera devenu le livre de chevet d'un peuple, le péril juif [*jüdische Gefahr*] pourra être considéré comme conjuré. »

La force du document tiendrait donc à sa fonction de révélation et aux effets de celle-ci : connaître les secrets des Juifs, c'est connaître les Juifs, et par là pouvoir dévoiler leur vraie nature, être en mesure de les démasquer, donc de se défendre contre la menace qu'ils représentent. Comme l'a bien établi Saul Friedländer, le « combat multiforme contre les Juifs », au même titre et peut-être plus que la conquête du *Lebensraum* (l'espace vital), constituait pour Hitler, idéologue politique, le « cœur de son système », formait l'essence même de sa *Weltanschauung*[1]. Éliminer les Juifs, c'était sauver la « race aryenne ». En jouant le rôle d'une méthode de salut, l'extermination purificatrice du « judaïsme international » faisait de l'antisémitisme l'équivalent d'un mode de rédemption. La lecture des *Protocoles* constituait le rituel ouvrant la voie à la lutte finale rédemptrice[2].

Au cours de l'année 1920, les *Protocoles*, d'abord traduits en allemand et en anglais (Grande-Bretagne et États-Unis),

1. Voir Jäckel, 1991, pp. 55-78, 110-119.
2. Sur cette dimension, voir Friedländer, 1997.

paraissent en polonais, en hongrois et en français, avant d'être traduits l'année suivante en italien, en serbe, en arabe, etc., puis, en 1924, en japonais et en espagnol. Des années 1920/1921 à la fin de la Seconde Guerre mondiale, le « complot juif » n'a cessé de se traduire par deux couplages de termes, prenant la figure de deux types d'amalgames polémiques : le complot « judéo-bolchevique » (privilégié par les milieux d'extrême droite) et le complot « judéo-capitaliste » (incarné par la figure des Rothschild, et dénoncé aussi bien à l'extrême droite qu'à l'extrême gauche). Mais, comme suffit à le rappeler le titre de l'édition du faux par Theodor Fritsch : *Les Protocoles sionistes* (1924), la figure du « complot sioniste » n'a cessé de rester à l'arrière-plan, pour devenir prédominante au cours des années 1950 et 1960.

300 maîtres du monde

Dans la plupart des textes d'accompagnement des *Protocoles* (préfaces ou postfaces), l'on rencontre la mention des « trois cents » hommes importants qui, selon une phrase de Walter Rathenau extraite de son contexte et mésinterprétée, décideraient des « destinées du monde ». Le chiffre des « trois cents » conspirateurs et/ou maîtres du monde prendra sa valeur symbolique durable, dans le mythe conspirationniste antijuif au XXe siècle (et au XXIe commençant), après l'assimilation des « trois cents » avec le groupe secret des « Sages de Sion ». Dans son article de 1909 paru dans la *Neue Freie Presse*, Rathenau[1], qui ne s'exprimait nullement en

1. Cohn, 1967, pp. 146-152; Taguieff, 2004b, pp. 637 *sq*.

tant que Juif (il se voulait d'abord Allemand), parlait plus modestement des « destinées économiques de l'Europe » : « Trois cents hommes, qui se connaissent tous entre eux, guident les destinées économiques de l'Europe et choisissent leurs successeurs parmi leurs disciples. » Parallèlement, un passage extrait de *Coningsby* (1844), roman de Benjamin Disraeli[1], est devenu, dans le discours antisémite d'avant et d'après les *Protocoles*, une preuve de la puissance cachée des Juifs : « Le monde est gouverné par de tout autres personnages que ne se l'imaginent ceux qui ne sont pas dans les coulisses. » Disraeli n'était-il pas juif, et n'était-il pas devenu Premier ministre du gouvernement britannique ? Ce propos n'était-il pas un aveu, venant de l'un des « Sages de Sion » ? Comme celle de Rathenau, la phrase de Sidonia (personnage du roman de Disraeli) attribuée au romancier-ministre, a été utilisée comme l'expression d'un aveu fait par un Juif puissant, supposé fournir la preuve qu'un complot juif ou judéomaçonnique mondial existait réellement. Le produit de la construction mythique va devenir une représentation polémique disponible, ainsi résumable : « Trois cents Sages de Sion gouvernent le monde en coulisse ». Les adeptes du mythe du « complot mondial » tenaient leurs « maîtres secrets du monde », ils croyaient connaître même leur nombre exact.

Les discours d'accusation qui ont accompagné la diffusion mondiale des *Protocoles*, qui commence en Allemagne

1. Benjamin Disraeli, *Coningsby*, Londres, 1844, livre III, chap. XV, p. 183. Voir Cohn, 1967, pp. 36-37 ; Taguieff, 2004b, pp. 630-633, et 2005, pp. 151 *sq*.

en janvier 1920 et le mois suivant en Grande-Bretagne, réactivent la « légende illuministe » et la généalogie fictive qui est censée conduire des « *Illuminati* » de Weishaupt aux bolcheviks de Lénine et Trotski. En février 1920, alors que les *Protocoles* venaient d'être traduits en anglais, Winston Churchill, alors ministre de la Guerre, reprenait à son compte la vision conspirationniste de la Révolution bolchevique diffusée par les émigrés russes antisémites, antimaçons et antibolcheviks :

> « Ce mouvement parmi les Juifs n'est pas nouveau. Depuis l'époque de Spartacus Weishaupt[1], en passant par celle de Karl Marx, pour en arriver maintenant à celle de Trotski (Russie), Bela Kuhn (Hongrie), Rosa Luxembourg (Allemagne) et Emma Goldman (États-Unis), cette conspiration mondiale pour anéantir la civilisation et pour reconstruire la société sur la base de l'arrêt du développement, d'une méchanceté envieuse et d'une impossible égalité n'a fait que s'étendre régulièrement. Comme l'a si bien montré un auteur moderne, Mrs. Webster, elle a joué un rôle clairement perceptible dans la tragédie de la Révolution française. Elle a été le ressort de tous les mouvements subversifs au cours du XIXe siècle [...].[2] »

1. « Spartacus » était le pseudonyme choisi par Adam Weishaupt à l'intérieur de l'Ordre des Illuminés de Bavière (Le Forestier, 2001, p. 30; Taguieff, 2005, pp. 14, 114).
2. Winston Churchill, « Zionism versus Bolshevism : A Struggle for the Soul of the Jewish People », *Illustrated Sunday Herald* (Londres), 8 février 1920 (cité par Lebzelter, 1978, p. 19). Voir aussi Poliakov, 1977, pp. 229-230; Bronner, 2000, p. 107; Moisan, 2004, p. 390. Le jeune Churchill, stigmatisant « les intrigues de l'Internationale juive », insistait ensuite sur « la part jouée par ces Juifs internationalistes et pour la plupart athées » dans la « création du bolchevisme »

On peut se demander si les faux tels que le « Discours du Rabbin » ou les *Protocoles* ne servent qu'à tromper ceux qu'on veut rallier ou à désinformer ceux qu'on veut perdre, en diabolisant ceux qu'on désigne comme ennemis. Ils servent aussi d'incitations au meurtre, à l'élimination physique des représentants supposés de la « secte » ou de la « société secrète » diabolisée. On ne saurait oublier par exemple, sous la République de Weimar, l'assassinat du ministre Walter Rathenau, le 24 juin 1922, par un groupe de nationalistes allemands fanatiques persuadés que leur victime était l'un des mystérieux et menaçants « Sages de Sion ». Ils avaient lu les livres et les brochures de Friedrich Wichtl[1], de Paul Bang[2], d'Alfred Rosenberg, d'Eric Ludendorff[3], de Theo-

et dans le déclenchement de la Révolution russe : « C'est certainement une très grande part; elle est probablement plus importante que toutes les autres. »

1. Sur l'influence de l'essai conspirationniste de Friedrich Wichtl, auteur d'un livre au titre explicite : « Maçonnerie mondiale, Révolution mondiale, République mondiale. Enquête sur les origines et les buts finaux de la guerre mondiale » (Wichtl, 1919), voir Segel, 1995, pp. 55-56 (et p. 120, la note 4 du traducteur Richard S. Levy) ; Cohn, 1967, pp. 137, 144, 155, 231 ; Rogalla von Bieberstein, 1976, p. 211.

2. Paul Bang, conseiller aux finances de Saxe, publia au printemps 1919 son pamphlet, *Judas Schuldbuch* (L'acte d'accusation de Judas), sous le pseudonyme de Wilhelm Meister. Voir Segel, 1995, p. 63; Cohn, 1967, p. 137; Berding, 1991, pp. 169-170. Dans le pamphlet de Bang, toutes les accusations visant les Juifs sont reliées au mythe de la conjuration juive mondiale.

3. Voir Segel, pp. 64-65 (et les précisions de Richard S. Levy, pp. 22, 123, note 14) ; Cohn, 1967, pp. 139-140, ; Poliakov, 1977, pp. 174 *sq.* ; Mosse, 1985, pp. 140 *sq.*, 172.

dor Fritsch, ils étaient convaincus de l'authenticité des *Protocoles.* Ils accusaient les Juifs ou les « judéo-maçons », dirigeants secrets supposés de l'Empire britannique et de la Russie, d'être les véritables responsables de l'« horrible bain de sang » qu'avait été la guerre mondiale. La conspiration judéo-maçonnique mondiale était ainsi dénoncée par Wichtl comme « le maître invisible de tous les peuples et de tous les États[1] ». Ils étaient soit des adeptes du « christianisme germanique », soit des païens nostalgiques du monde « indo-germanique » ou « aryen ». Dans tous les cas, des ennemis déclarés de la « judaïsation du monde ». Ces militants-assassins croyaient au mythe du complot juif mondial, mâtiné de complot maçonnique et de complot bolchevik[2]. Ils avaient tué au nom du Bien, pour le salut de l'Allemagne. Voire de l'Humanité (l'authentique). Ils avaient éliminé un rejeton de Satan. Le mythe conspirationniste leur avait fourni le mode de légitimation dont ils avaient besoin pour agir. Un permis de tuer.

Les Juifs, fauteurs de guerre

Il est difficile de faire la part des convictions idéologiques et des stratégies de propagande dans les usages politiques des *Protocoles,* au cours de la Seconde Guerre mondiale, par les hauts dirigeants nazis, à des fins de mobilisation ou de légitimation de la « croisade » qu'ils prétendaient mener. Dans un discours prononcé le 6 mai 1943 au Palais

1. Wichtl, 1919, 9e éd., 1922, p. 268 (cité par Cohn, 1967, p. 137).
2. Voir Cohn, 1967, pp. 149-152.

des sports de Berlin, Joseph Goebbels, ministre de la Propagande du IIIe Reich, annonçait que l'Allemagne ferait reconnaître par tous les peuples la responsabilité des Juifs dans le déclenchement de la guerre, une « terrible catastrophe pour l'humanité », et ajoutait qu'il fallait prendre l'exacte mesure de leur « influence néfaste » en se reportant aux *Protocoles des Sages de Sion*[1]. Le grand maître de la propagande nazie cite alors ce passage des *Protocoles* : « Lorsque le Roi des Juifs ceindra la couronne que l'Europe doit lui offrir, il sera l'ancêtre et le patriarche du monde entier. [2]» Et Goebbels de prévenir : cette fois, le Juif n'accédera pas au trône, il ne dominera pas l'Europe, mais il sera traité comme « le lépreux, la lie de l'humanité, la victime de sa propre ambition criminelle[3] ». Le 13 mai 1943, reprenant la matière de son intervention du 6 mai, Goebbels note dans son *Journal*, esquissant un résumé de la doctrine antijuive du premier cercle hitlérien :

> « J'étudie encore une fois à fond les *Protocoles de Sion*. Jusqu'ici, on m'a toujours objecté qu'ils n'étaient pas utilisables pour notre propagande actuelle. Je constate, en les lisant, que nous pouvons parfaitement en tirer parti. Les *Protocoles de Sion* sont aujourd'hui aussi actuels que le jour où ils ont paru pour la première fois. J'en ai parlé à midi au Führer. Il estime comme moi que les *Protocoles de Sion* peuvent être considérés comme absolument authentiques. [...] Les Juifs sont partout les mêmes; [...] ils poursuivent les mêmes desseins et, sans

1. Mayer, 1990, p. 389.
2. Cité par Mayer, 1990, pp. 389-390.
3. Goebbels, cité par Mayer, 1990, p. 390.

> s'être consultés, utilisent les mêmes méthodes. [...] Dans la nature, l'instinct réagit toujours de la même façon. Il n'en est pas forcément de même dans la vie des peuples. D'où le péril juif. Les peuples modernes n'ont donc pas d'autre solution que d'exterminer les Juifs. [...] Le Juif est aussi le premier à avoir utilisé le mensonge comme arme politique. [...] Les peuples qui ont démasqué les premiers le vrai visage du Juif et qui ont été les premiers à combattre le judaïsme prendront la place des Anglais dans la domination du monde. [1]»

Peu avant la chute du régime nazi, le 29 décembre 1944, dans Berlin en ruines, le ministère de la Propagande du Troisième Reich diffuse dans la presse ce message qui se veut incitatif : « C'est le renversement de la domination mondiale juive qui est le problème central de cette guerre. S'il était possible de faire échec et mat aux 300 rois secrets juifs qui gouvernent le monde, les peuples de cette terre connaîtraient enfin la paix.[2] » La lutte finale contre les mythiques « Sages de Sion » constitue le dernier acte d'une guerre qui s'achève en étant, pour ainsi dire, absorbée par le grand fantasme antijuif qui en fut l'un des principaux facteurs.

Utilisés d'abord comme machine de guerre idéologique contre le bolchevisme (thème du « complot judéo-bolchevique »), les *Protocoles* ont été exploités à d'autres fins : expliquer après coup le déclenchement de la Grande Guerre comme la défaite de l'Allemagne par une machination juive, dénoncer la prétendue collusion des Juifs et de la

1. Goebbels, 1948, pp. 360-361.
2. On aura noté l'allusion à la fameuse phrase de Rathenau.

« haute finance internationale » (par exemple, pour expliquer la crise de 1929), réduire les régimes démocratiques à des masques d'une « ploutocratie mondiale à tête juive », stigmatiser le sionisme comme une entreprise juive occulte de domination du monde, enfin démoniser l'État d'Israël, mythifié en tant que centre du « complot juif mondial ». Un thème d'accusation annexe, déjà présent dans la littérature antijuive de l'entre-deux-guerres sous la forme du « complot judéo-capitaliste » à visage américain (l'Amérique étant supposée « dirigée par les Juifs », plus ou moins secrètement), a pris une grande importance au cours des dix dernières années du XXe siècle, au point de marquer une nouvelle étape dans l'histoire des métamorphoses du mythe complotiste antijuif : le thème du « complot américano-sioniste ».

4. Usages « antisionistes » des *Protocoles* depuis la fin des années 1960 : la mondialisation du mythe du « complot sioniste mondial »

Les *Protocoles* sont présents dans l'attirail idéologique de ce qui a été appelé le « nouvel antisémitisme », et que je pense dénommer moins incorrectement la « nouvelle judéophobie », qui se déchaîne après la guerre des Six Jours (juin 1967)[1]. La « nouvelle judéophobie », en tant que discours idéologico-politique (auquel elle ne se réduit

1. Voir Taguieff, 2002a et 2004b, pp. 31-32, 341.

pas[1]), consiste principalement à démoniser le « sionisme » en le réinventant comme mythe répulsif, par amalgame de divers thèmes d'accusation : « impérialisme », « colonialisme », « racisme », « génocide » (des Palestiniens, voire des Arabes). Les Presses islamiques, à Beyrouth, rééditent en novembre 1967 la version française des *Protocoles* publiée en 1921 chez Grasset, avec l'introduction de Roger Lambelin (royaliste proche de l'Action française), précédée d'une préface de style conspirationniste et violemment « antisioniste » de Faëz Ajjaz. La première page de couverture donne à lire le message suivant dans le surtitre, en guise de réactualisation du « document » : « La vérité sur Israël, ses plans, ses visées, révélée par un document israélite ». Dans sa préface datée du 5 novembre 1967, le journaliste et publiciste syrien Faëz Ajjaz (el-Ajjaz), éclairé par sa lecture « naïve » des *Protocoles*, interprète le combat des Arabes et des musulmans contre Israël comme la légitime résistance des peuples agressés contre les « fils de Sion » poursuivant le rêve de domination mondiale de leurs ancêtres (« les Sages de Sion »), tout en voyant dans la guerre des Six Jours une preuve irrécusable, voire la preuve décisive de l'authenticité des *Protocoles* :

> « L'année 1967 fera date [...] dans l'histoire du Moyen-Orient arabe en particulier, et dans l'histoire de l'humanité en général. Car c'est au cours de cette année, et plus précisément

1. Car elle n'est pas qu'idéologie politique, elle se manifeste aussi dans d'autres champs : celui des opinions, celui des comportements, des pratiques sociales, des mobilisations, et celui des institutions (lorsqu'on a affaire à un antisionisme d'État).

le 5 juin 1967, que le peuple de Sion confirma, pour la première fois dans son histoire, l'authenticité d'un document publié en 1905 et qui n'a cessé, depuis sa parution, de faire couler un flot d'encre et de soulever un ouragan de polémiques. En effet, c'est en déclenchant leur campagne d'expansion territoriale, expansion basée sur la violation de toutes les normes de la morale et du droit, que les fils de Sion ont donné la preuve matérielle qu'ils n'ont jamais oublié les "Protocols" de leurs Sages et les principes posés par ces *Protocols* pour la réalisation de leur rêve : la domination mondiale. Partis de l'idée qu'ils étaient le Peuple élu de Dieu, ils semblent avoir oublié que les Arabes ont toujours employé le qualificatif opposé à celui correspondant à la réalité des choses dans l'espoir d'adoucir l'amertume de la réalité. Car l'histoire juive est édifiante sur la place qu'accorde la divinité à cette petite communauté, maudite par le Ciel au point d'être un peuple éternellement errant. [...] Je n'entrerai pas ici dans le détail de l'histoire des fils de Sion et de la preuve qu'ils étaient toujours derrière chaque mouvement qui a essayé de saper – à travers l'histoire – les réformes spirituelles et morales entreprises au profit de l'humanité. »

Le propagandiste « antisioniste » reprend ainsi la grande accusation contre les Juifs lancée par les *Protocoles* – celle d'être une puissance de chaos –, et la réinscrit dans la catégorie du Juif « ennemi du genre humain ». En 1968, l'Institut islamique de Beyrouth tire les *Protocoles* à 300000 exemplaires, en français, en italien, en espagnol et en arabe.

Les Juifs, ennemis de l'islam

La réception arabo-musulmane de la dénonciation complotiste de la « conquête juive », dans les années 1920 et 1930, a fourni la première grille d'interprétation du sionisme, perçu comme une expression du « bolchevisme juif »[1]. Car, aux yeux du judéophobe vigilant, « le Juif », s'il demeure identique à lui-même, s'adapte, se déguise, se travestit ; bolchevik en Russie, il se fait sioniste en Palestine. Mais il se manifeste toujours dans le sens indiqué par les *Protocoles* et les textes précurseurs : cruel et destructeur, le Juif est un principe de subversion des traditions, il est un ultra-modernisateur, utilisant l'athéisme et le matérialisme pour arriver à ses fins. À lire les commentaires coraniques de Sayyid Qutb, Frère musulman radical condamné à mort en 1966 par Nasser pour ses écrits politiques, on saisit la logique de cette réception, fondée sur l'analogie : les judéo-sionistes combattent le monde musulman comme les judéo-bolcheviks combattent le monde chrétien. Dans sa belle étude sur la pensée de Sayyid Qutb[2], Olivier Carré note que le *Zilâl*[3] se montre « particulièrement entier et simpliste au sujet du judaïsme, des Juifs et du sionisme politique en Palestine. [...] Il fait un portrait de la nature du Juif, invariable depuis Moïse jusqu'à la guerre israélo-arabe contemporaine. [...] Leur mauvaise foi [des Juifs] par intérêt financier est vue comme un trait de leur nature. [...] Qutb reproche aux Juifs de se croire "le peuple élu".

1. Voir Lewis, 1987, pp. 236, 355 (note 13) ; Taguieff, 2004a, pp. 165 *sq.*
2. Voir Carré, 1984, pp. 103 *sq.*, 208 ; ainsi que Kepel, 1984, pp. 30 *sq.*, 39 *sq.* Sur l'idéologue islamiste Sayyid Qutb (1906-1966), voir aussi Berman, 2004, pp. 86-132 ; Taguieff, 2004a, pp. 245 *sq.*
3. *Fi Zilâl al-qurân* (À l'ombre du Coran), Beyrouth, Le Caire, Dâr al-shurûp, 30 fascicules (commentaire coranique).

Mais Qutb ajoute, en termes précis, que c'est désormais le peuple musulman qui a été élu de préférence aux chrétiens et aux Juifs, lesquels sont les adversaires naturels et permanents de l'Islam. [...] Pour Qutb, l'arabisme est mis en sourdine, c'est le complot impérialiste et sioniste contre l'Islam qui l'obsède, avec la certitude de la victoire finale de l'Islam »[1]. Ailleurs, les Juifs sont décrits par Qutb comme haineux, ils sont définis par une haine « permanente et éternelle », qui « leur est devenue naturelle »[2], aggravée par une intelligence discursive dissolvante (stéréotype du « Juif talmudique ») :

> « Elle use de ruses, d'infiltrations, de discussions intelligentes qui sèment le doute et la division. [...] Il faut les considérer comme des traîtres, des gens sans respect des traités, des hypocrites, amis des mauvais musulmans. Aussi fallut-il les exclure, sur ordre divin, de Médine, puis de toute l'Arabie. Cet ordre demeure, car leur nature mauvaise n'a pas changé. Ils aiment l'argent et l'usure. [...] Aujourd'hui, il y a Israël en Palestine, il y a la guerre larvée en Inde et au Cachemire : c'est la même offensive, radicalement, des Juifs et des chrétiens, avec le secours des mêmes matérialistes athées. La responsabilité juive est toujours prédominante, depuis Médine jusqu'à nos jours. C'est un Juif qui fut à l'origine des "factions" à Médine, et des combats qui s'ensuivirent. [...] Marx, Freud, Durkheim, Bergson sont des Juifs, fondateurs de ce courant matérialiste, athée, sexiste, darwiniste, destructeur du sacré et des normes

1. Carré, 1984, pp. 121-122. Ce qui n'empêche pas Qutb de souligner « l'immense tolérance prescrite par Dieu dans le Coran en dépit des ruses et des complots des Juifs et des chrétiens » (O. Carré, 1984, p. 103).
2. Carré, 1984, p. 118.

morales. Ils ont pour cible objective l'Islam, qui est la seule religion.[1] »

La logique du complot juif anti-chrétien est ainsi transférée sur le monde de l'Islam : après avoir brisé la « forteresse chrétienne », les Juifs s'en prennent à la communauté musulmane, avec « l'aide des nationalistes européens en mal de colonies et nostalgiques des croisades »[2]. La lecture théologico-politique du conflit israélo-palestinien est simple : « Aujourd'hui, ce sont de braves "*fedayin*-croyants" qui, à l'image même de Muhammad et de ses compagnons, résistent (en 1955) aux offensives juives en Palestine.[3] » Mais, prophétise Qutb : « L'État israélien et ses iniquités contre les Arabes de Palestine entraîneront immanquablement [...] un châtiment terrible, promis par Dieu.[4] »

La dénonciation de l'activité conquérante des Juifs va de pair avec celle de leur usage destructeur des idéologies modernes, mixtes d'athéisme et de matérialisme : marxisme et darwinisme. Qutb semble ici s'inspirer directement des *Protocoles*, où l'orateur énonce dans la seconde « séance » : « Remarquez les succès que nous avons su créer au Darwinisme, au Marxisme, au Nietzschéisme. Pour nous au moins, l'influence délétère de ces tendances doit être

1. Carré, 1984, pp. 118-119. Face aux Juifs, la pratique de l'amalgame est permise : la lutte contre les démons peut et doit se passer de nuances et de distinctions (Bergson « matérialiste » !).
2. Carré, 1984, p. 119, paraphrasant Qutb.
3. *Ibid.*
4. *Ibid.*

évidente. [1] » Qutb se réfère d'ailleurs expressément aux *Protocoles,* comme le remarque Olivier Carré, et toujours en opérant l'amalgame judéo-communiste : « Expliquons, dit Qutb, l'athéisme occidental par la révolte, justifiée, contre le despotisme de l'Église, mais cette saine réaction a été très vite manipulée par les Juifs, avec leur fameux *Protocole des Sages de Sion,* dont le mouvement communiste est une ramification.[2] »

Un autre lettré islamiste, le chiite libanais Muhammad Husayn Fadlallâh, a repris dans les années 1980 une argumentation fort semblable. Étudiant les thèmes principaux de son œuvre (livres publiés, sermons, prêches, etc.), Olivier Carré commence par considérer « les Orgueilleux », dont la Palestine est « le lieu par excellence », car elle est musulmane, et « il faut sauver en Palestine "la culture islamique" clairement menacée par le sionisme et l'impérialisme coalisés[3] ». Car il y a « un plan mondial bien connu des Juifs consistant à répandre les plaisirs et la permissivité, "à travers les grands couturiers et les maisons de mode" notamment, comme le révèlent *Les Protocoles des Sages de Sion*[4] ». Parmi les Orgueilleux, Fadlallâh mentionne la franc-maçonnerie, qui est « intimement liée au colonialisme et au sionisme mondial » ; d'ailleurs, la doctrine et les symboles des francs-

1. Voir Gohier, 1920, p. 20 : " Les effets démoralisateurs de ces doctrines sur l'esprit des *goym...* "; Lambelin, 1925, p. 17.
2. Carré, 1984, p. 208 (qui cite notamment le *Zilâl,* 1087 *sq.*).
3. Carré, 1991, p. 195.
4. Carré, 1991, p. 195 ; référence à M. H. Fadlallâh, *Pas à pas dans la route de l'Islam* [en arabe], Beyrouth, 3e éd., 1982, IX, p. 71.

maçons sont « liés au judaïsme »[1]. Voilà donc le thème du complot judéo-maçonnique inscrit comme une évidence dans la vision politico-religieuse du maître à penser du Hizballâh (Hezbollah) libanais. Rien de nouveau sur « l'Impérialisme » dans l'apologétique de Fadlallâh, comme le note Olivier Carré. On y retrouve d'abord l'opération polémique de base consistant à réduire la diversité des ennemis diabolisés à l'identique : « L'idée de l'alliance du christianisme missionnaire, de l'athéisme, du sionisme, du nationalisme, de l'orientalisme et du colonialisme ou impérialisme est courante.[2] » Quant à la référence rituelle aux *Protocoles*, on a vu que Fadlallâh la pratiquait :

> « Courante également la référence aux *Protocoles des Sages de Sion* comme à une source authentique, mais décevante la naïveté non critique chez cet homme instruit et cultivé qu'est Fadlallâh. Apparemment, il succombe sans références à la propagande pseudo-scientifique de la réédition arabe, à Damas puis à Koweit, de ce sinistre faux. Sur ce point précis comme sur l'antijudaïsme dogmatique, il y a une unanimité presque totale chez les Islamistes (*cf.*, Qutb et les qutbistes) comme dans l'Islam officiel et même chez des intellectuels critiques.[3] »

Nous sommes loin de la vision, chère à Maxime Rodinson[4], d'un usage marginal des *Protocoles* par des « obscu-

1. Carré, *ibid.* ; référence à M. H. Fadlallâh, *ibid.*, II, p. 63. Voir la Charte du mouvement Hamas (Gaza, août 1988, en arabe), pp. 24, 31 (« sionisme » = « franc-maçonnerie »).
2. Carré, 1991, p. 210.
3. Carré, 1991. Voir la Charte du Hamas, p. 35 (« leurs plans expansionnistes ont été consignés dans les *Protocoles des Sages de Sion...* »).
4. Rodinson, 1981, pp. 16-17. Voir Taguieff, 2004a, pp. 207-213.

rantistes » isolés. Nous nous trouvons, tout au contraire, devant une vulgate, ou une *doxa,* dans laquelle l'antijudaïsme politico-religieux va de soi.

En 1985, dans l'Iran de l'ayatollah Khomeiny, l'Organisation pour la Propagande islamique publie à Téhéran une réimpression de l'édition libanaise des *Protocoles* parue en novembre 1967, sous le même titre : *« Protocols » des Sages de Sion. Texte complet conforme à l'original adopté par le Congrès sioniste à Bâle (Suisse) en 1897.* La première page de couverture porte en surtitre : *La vérité sur les plans d'Israël révélée par un document israélite,* ce qui résume clairement l'interprétation islamiste (à la mode chiite/iranienne) du document. La lecture de l'introduction de l'éditeur (le Bureau des relations internationales de l'Organisation pour la Propagande islamique), intitulée « Au Nom de Dieu, Clément et Miséricordieux », permet de mieux comprendre les objectifs de guerre idéologique que remplit la diffusion des *Protocoles* aux yeux des islamistes iraniens :

> « Les crimes et les violations contre l'Islam et les musulmans sont connus de tous. Le Coran fait clairement allusion à cette réalité au verset 82 de la sourate V "La Table servie" : "Tu constateras que les hommes les plus hostiles aux croyants sont les Juifs et les Polythéistes." L'occupation et l'expansion avides, conformément à la logique "du Nil à l'Euphrate", sont propres à ces criminels professionnels de l'histoire qui, depuis 35 ans, avec la coopération des superpuissances, s'approchent progressivement, pas à pas, à [*sic*] leur satanique objectif. [...] Non seulement la collaboration des superpuissances a renforcé cette tumeur cancéreuse au cœur du Moyen-Orient islamique, mais bien plus, le silence des peuples arabes musulmans et des

dirigeants réactionnaires de la région a aplani la voie à la continuation des agressions et à l'influence accrue des sionistes. [...] L'apparition de la Révolution islamique de l'Iran, dans la région, représente, aujourd'hui et demain, le plus grand danger pour Israël. [...] Depuis plus de 20 ans, à ce jour, l'Imam Khomeiny, guide de la Révolution iranienne, n'a cessé de rappeler le danger que représente cet ennemi destructeur. La phrase : "Si chaque musulman tenait à la main un seau plein d'eau et en faisait couler le contenu vers Israël, ces criminels seraient balayés", est l'une des plus anciennes et des plus significatives du grand fondateur de la République islamique. Quoi qu'il en soit, il faut dire énergiquement et fermement que la région ne pourra jouir du calme et de la paix tant que cette tumeur cancéreuse n'aura pas été arrachée. [...] C'est sous ce rapport que nous ré-imprimons, tel quel, et sans exprimer notre opinion [*sic*], l'ouvrage présent, d'après l'édition libanaise, afin d'exposer la vraie nature de ce dangereux ennemi. Nous espérons avoir fait un pas en avant de plus, tant pour l'information des musulmans et faire connaître la nature de ces envahisseurs, instigateurs de trouble, que pour extirper les racines de la corruption, de l'iniquité et du crime sur toute la surface de la terre. »

Banalisation du mythe du « complot juif »

Depuis cette vague de rééditions du faux, la nouvelle judéophobie à base « antisioniste » s'est enrichie du « négationnisme » dont le Français Robert Faurisson est devenu le chef de file à la fin des années 1970, réactivant le mythe du « complot juif » par des accusations visant « le mensonge d'Auschwitz » ou la « Shoah business », tandis que, dans les pays d'Europe de l'Est (communistes, puis post-communistes) comme dans les pays arabes et plus largement dans le monde musulman, la « conspiration juive internationale » devenait le « complot sioniste mondial », avec sa variante conjoncturelle : le « complot américano-sioniste mondial », appliqué pour rendre compte de tous les malheurs frappant l'humanité, catastrophes naturelles comprises (le tsunami !). Les « rumeurs négatrices », consistant à nier des faits avérés (qu'il s'agisse de la réalité de la Shoah, du suicide d'Hitler ou de l'attaque terroriste du 11 septembre 2001 contre le Pentagone), circulent désormais dans le monde, grâce à Internet[1]. Des « rumeurs négatrices » qui sont massivement sollicitées par les prêcheurs islamistes, le plus souvent intégrées dans la vision d'un « complot sioniste » (ou « américano-sioniste ») mondial.

Dans le monde arabo-musulman, l'endoctrinement antijuif des masses débute dans le cadre de l'enseignement primaire et secondaire. Les manuels scolaires saoudiens, par exemple, traitent de l'histoire juive et du « sionisme » en se référant aux *Protocoles des Sages de Sion* ainsi qu'à des textes conspirationnistes qui en sont dérivés (notamment le livre de William Guy Carr, *Des Pions sur l'échiquier*). L'élève saoudien apprend ainsi très tôt que, parmi les « méthodes du sionisme pour atteindre ses objectifs », il faut retenir les pratiques suivantes :

« 1. Fomenter séditions et conspirations à travers l'Histoire. [...] 3. Tenter de plonger les peuples dans le vice et répandre la prostitution. [...] 4. Contrôler la littérature et l'art en publiant une littérature décadente et licencieuse [...] 5. Contrôler les

1. Sur les « rumeurs négatrices », voir Renard, 2006.

industries du cinéma et des arts [...]. 6. Fraude, corruption, vol et supercherie. [1]»

Il apprend aussi que « le sionisme [...] est l'instrument exécutif officiel du judaïsme mondial », que « la Palestine est l'objectif principal des juifs », car « elle est la base d'où commencera leur domination du monde », ce qui constitue l'objectif final du « mouvement sioniste »[2]. La preuve de ces « plans juifs diaboliques » se trouve dans les *Protocoles des Sages de Sion*, ainsi présentés : « Il s'agit de résolutions secrètes, très probablement [prises au] congrès de Bâle [...]. Les Juifs tentèrent de les nier mais leur authenticité ainsi que leur publication par les Sages de Sion [*sic*] a été largement établie. [3]»

Dans les prêches islamistes, la référence aux *Protocoles des Sages de Sion* est devenue un rituel. De l'Égyptien Sayyid Qutb[4] aux fondateurs du Hamas (« Mouvement de la résistance islamique », qui se présente comme « l'une des branches des Frères musulmans en Palestine »), en passant par les idéologues du FIS algérien, la dénonciation du « complot sioniste mondial » est l'arme privilégiée de ceux qui appellent au *djihad* contre Israël et « le sionisme », un « sionisme » mythologisé comme surpuissance mondiale ou empire invisible du mal. Le Frère musulman radical Sayyid Qutb, dans son commentaire de la sourate 5, affirme :

1. Hadith et culture islamique, classe de 2e, 2001, pp. 104-105 (cité par le CMIP, 2003, pp. 89-90).
2. *Ibid.*, pp. 101, 102 (cité par le CMIP, 2003, pp. 94, 96).
3. *Ibid.*, p. 103 (cité par le CMIP, 2003, p. 99).
4. Sur Sayyid Qutb, voir *supra*.

« Depuis les premiers jours de l'islam, le monde musulman a toujours dû affronter des problèmes issus de complots juifs. [...] Depuis les premiers jours à Médine, l'histoire a conservé la mémoire de cette opposition pernicieuse des Juifs aux droits de l'islam. Leurs intrigues ont continué jusqu'à aujourd'hui, et ils continuent à en ourdir de nouvelles, cultivant leur rancœur, n'hésitant jamais à user de traîtrise pour saper l'autorité de l'islam.[1] »

L'article 32 de « La Charte d'Allah », la Charte du mouvement Hamas (publiée le 18 août 1988), témoigne de cette retraduction islamiste et « antisioniste » du mythe du complot juif mondial, adapté à la guerre totale contre Israël :

« Le sionisme mondial et les puissances impérialistes tentent, à travers des plans bien établis et une stratégie intelligente, d'éliminer un État arabe après l'autre du cercle de la lutte contre le sionisme pour qu'en fin de compte, il ne reste plus que les Palestiniens à combattre. L'Égypte a été éliminée à travers les accords traîtres de Camp David. [...] La conspiration sioniste[2] n'a pas de limites. Après la Palestine, les sionistes veulent accaparer la terre, du Nil à l'Euphrate. Quand ils auront digéré la région conquise, ils aspireront à d'autres conquêtes. Leur plan a été énoncé dans les *Protocoles des Sages de Sion*, et leur conduite actuelle en est la meilleure preuve. Sortir du cercle de la lutte contre le sionisme est une haute trahison. Maudits soient ceux qui agissent de la sorte. [...]. Nous n'avons d'autre choix que de mobiliser toutes nos forces et nos énergies afin de combattre cette vicieuse invasion nazie-tartare [*sic*][3]. [...] Au sein du cercle du combat contre le sionisme mondial, le

1. Cité par Berman, 2004, p. 114.
2. Ou le « plan sioniste ».
3. Autre traduction : « nazie et tatare ».

Hamas se considère comme le fer de lance et l'avant-garde. [...] Tous les groupes islamiques du monde devraient faire de même, car ces derniers sont mieux équipés pour combattre les Juifs bellicistes. [1]»

L'appel à la destruction d'Israël est une constante dans le discours des Frères musulmans, qui considèrent l'existence de l'État juif sur une « terre islamique » comme l'indice d'un mégacomplot contre l'islam. La Charte du Hamas porte en épigraphe une prophétie du fondateur de la confrérie des Frères musulmans, Hassan al-Banna, grand-père et guide spirituel de Tariq Ramadan : « Israël existera et continuera d'exister jusqu'à ce que l'Islam l'anéantisse comme il a anéanti d'autres auparavant. [2]» Dans une interview publiée le 15 décembre 2005 par l'hebdomadaire anglophone *Ahram Weekly*, le guide spirituel des Frères musulmans en Égypte, Mohammed Mehdi Akef, a qualifié Israël de « cancer » et indiqué que s'il était au pouvoir, il soumettrait à référendum le traité de paix avec l'État hébreu : « Nous ne reconnaîtrons pas Israël. Et nous espérons la disparition de ce cancer », a déclaré ce haut dirigeant islamiste[3]. La croyance qu'un grand complot est en cours contre l'islam et les musulmans constitue l'une des convictions fonda-

1. Charte du Hamas, article trente-deux, http://www.amitiesquebec-israel.org/textes/charteham.htm (tr. fr. légèrement modifiée par mes soins). Voir aussi Taguieff, 2004b, p. 755.
2. La citation est attribuée au Maître ainsi présenté : « Le Martyr, Imam Hassan al-Banna, de mémoire sacrée ».
3. Cité par le quotidien libanais d'expression française *L'Orient-Le Jour* (Beyrouth), le 16 décembre 2005.

mentales de la confrérie des Frères musulmans depuis ses origines. La création d'Israël est mythologisée dans un sens complotiste par les idéologues de la confrérie, comme suffit à le montrer cet extrait d'un article publié en septembre 1964, sans nom d'auteur, dans le magazine créé et animé à Genève par Saïd Ramadan, le gendre de Hassan al-Banna, *El-Muslimoun* (« Le Musulman ») :

> « [...] L'État d'Israël n'a pas seulement été créé par hasard. Nous sommes convaincus qu'il s'agit plutôt d'une incarnation de la pensée de l'enfer, un mélange né de la rencontre entre le Sionisme cupide, issu du Talmud falsifié et de la Torah falsifiée, tel qu'il a pris forme dans les *Protocoles des Sages de Sion*, et l'esprit des Croisés, inspiré par la jalousie et qui a tant de motifs de colère envers l'islam. »

L'idéologue islamiste, dans le même article, prend appui sur l'existence du « complot juif » ou « judéo-croisé » imaginaire pour lancer un appel à une réaction islamique sous la forme mimétique d'un contre-complot réel. Le plan chimérique devient le modèle du projet réel :

> « C'est pourquoi nous sommes convaincus que ce plan idéologique élaboré doit être contré par un plan idéologique tout aussi élaboré, et qu'il faut répondre à ses attaques idéologiques, à sa guerre idéologique, par une guerre idéologique. Ce système de croyances doit être combattu par un système de croyances. La victoire ira au plus fort. Selon nous, ce difforme enfant trouvé ne peut être écrasé qu'avec l'arme du dogme religieux et de la foi. Et quel système de croyances est plus fort, et mieux à même d'écraser la juiverie et la croisade que l'islam ?[1] »

1. Article cité d'après Besson, 2005, p. 58.

Ce fragment d'article constitue un lointain précurseur du rapport daté du 1er décembre 1982, *Vers une stratégie mondiale pour la politique islamique*, connu sous la dénomination « Le Projet »[1], découvert par des enquêteurs peu après les attentats anti-américains du 11 septembre 2001 dans la villa du banquier islamiste Youssef Nada, émissaire secret des Frères musulmans installé en Suisse, et créateur de la banque Al-Taqwa[2].

Les *Protocoles* ne sont pas diffusés et exploités par les seuls milieux islamistes, palestiniens ou non. En novembre 2002 commence la diffusion du feuilleton télévisé égyptien « Le Cavalier sans monture », dont l'intrigue est fondée sur les *Protocoles*. Le célèbre comédien égyptien Mohamed Sobhi, producteur de la série, y joue le rôle principal, et déclare que les *Protocoles* « révèlent les plans sionistes pour s'emparer de la Palestine »[3]. Un an plus tard, en novembre 2003, la chaîne de télévision du Hezbollah, Al-Manar, diffuse une série syrienne, « *Al-Shatat* » (« Diaspora »), qui prétend illustrer historiquement la thèse conspirationniste selon laquelle l'instauration d'un « gouvernement juif mondial » est au cœur d'un projet secret de la famille Rothschild[4]. Le 28 décembre 2003, la télévision éducative de l'Autorité palestinienne diffuse un programme intitulé « Les *Protocoles des Sages de Sion* et la négation du droit d'Israël à exister », dans lequel les *Protocoles* sont pré-

1. Document publié en traduction française dans Besson, 2005, pp. 193-205.
2. Voir Besson, 2005, pp. 17-74.
3. Voir Taguieff, 2004b, pp. 750-753.
4. Taguieff, 2004b, pp. 793-796.

sentés comme un document « sioniste » authentique qui aurait été discuté lors du Congrès sioniste de Bâle (août 1897). On pouvait trouver les *Protocoles* en ligne jusqu'au 18 mai 2005, dans une version arabe, sur le site officiel du ministère de l'Information (c'est-à-dire aussi et surtout de la propagande) de l'Autorité palestinienne, dans la section du site consacrée à l'histoire du sionisme. C'est seulement sous la pression de l'Anti-Defamation League (ADL), qui avait demandé aux autorités américaines d'aborder ce problème le 26 mai 2005, lors de la visite du président palestinien, Mahmoud Abbas, à la Maison blanche, que l'Autorité palestinienne a décidé de retirer le faux de ce site officiel[1].

Dans sa « Lettre au peuple américain », diffusée en novembre 2002, le chef de l'islamisme djihadiste international Oussama ben Laden s'inspire expressément des écrits conspirationnistes occidentaux pour dénoncer le « contrôle » de l'Amérique par les Juifs :

> « Vous êtes la nation qui a autorisé l'usure, qui a été interdite par toutes les religions. Vous avez pourtant construit votre économie et fondé vos investissements sur l'usure. La conséquence de tout cela [...] est que les Juifs ont pris le contrôle de votre économie, à travers laquelle ils ont pris le contrôle de vos médias, et maintenant le contrôle de tous les aspects de votre vie, faisant de vous leurs domestiques et atteignant leurs objectifs à vos dépens, ce qui est exactement ce contre quoi Benjamin Franklin vous avait mis en garde. [2]»

---

1. Voir les motifs dérivés des *Protocoles* dans les manuels scolaires palestiniens, analysés par Manor, 2003.
2. Oussama ben Laden, novembre 2002, cité partiellement par

La référence benladénienne à la « prophétie de Benjamin Franklin » témoigne de la large diffusion des faux antijuifs occidentaux dans le monde non occidental. Ce faux a été fabriqué à partir de propos attribués à Benjamin Franklin par Charles Cotes Worth Pinceau, député de Caroline du Sud, qui les a rapportés dans son journal : Franklin les aurait tenus selon lui au cours d'une pause entre deux sessions de la Convention constitutionnelle de Philadelphie en 1787. La prétendue « prophétie » de Franklin fut publiée pour la première fois en février 1934 dans le magazine antisémite *Liberation* par le leader fasciste américain William Dudley Pelley (1890-1967)[1], puis fut intégrée en 1935 dans une réédition posthume du célèbre *Manuel de la question juive* (*Handbuch der Judenfrage*) de Theodor Fritsch[2]. Citons-en les passages ordinairement reproduits par les propagandistes antijuifs :

> « Un grand danger menace les États-Unis d'Amérique. Ce grand danger, c'est le Juif. Messieurs, dans tous les pays où les Juifs se sont installés, ils ont affaibli la moralité et fait baisser le

Thom Burnett, dans *Conspiracy Encyclopedia*, 2005, Introduction, p. 11 ; texte complet publié le 24 novembre 2002 dans *The Observer*.

1. Le jour qui suivit l'arrivée d'Adolf Hitler au pouvoir le 30 janvier 1933, Pelley fonda la Silver Legion of America (« Légion d'Argent d'Amérique »), qui allait devenir un mouvement fasciste de masse (100 000 membres en 1940). En 1930, Pelley avait lancé son magazine *Liberation*, où il mêlait l'appel à l'amour de la « race aryenne » et la dénonciation des méfaits de la « finance juive » à ses conceptions ésotériques, fondées notamment sur des textes prétendument dictés par la « voix mentale » d'un « Maître » astral.
2. Voir *Conspiracy Encyclopedia*, 2005, p. 10, et *supra*.

niveau de l'honnêteté commerciale, ils se sont isolés, ont rejeté toutes les tentatives faites pour les intégrer et se sont moqués des valeurs de notre religion chrétienne, sur lesquelles se fonde cette nation. Ils ont essayé d'étrangler économiquement le pays en contestant ses frontières et en créant un État dans l'État. [...] S'ils ne sont pas expulsés des États-Unis par la Constitution, d'ici cent ans, ils seront si nombreux à grouiller dans ce pays qu'ils nous gouverneront, nous détruiront et modifieront la forme de gouvernement pour laquelle nous, Américains, avons versé notre sang et sacrifié nos vies, nos biens et notre liberté individuelle. Si d'ici deux cents ans, les Juifs ne sont pas expulsés, nos enfants travailleront dans les champs pour les nourrir tandis que les Juifs se frotteront les mains de satisfaction en comptant l'argent. »

La voix du Dr Mahathir, Premier ministre malaisien

L'acte de dénoncer le complot juif mondial peut être accompli sous une forme euphémisée et être le fait de leaders non perçus comme « extrémistes ». Les 16 et 17 octobre 2003 au Centre de conférence de Putrajaya, en Malaisie, l'Organisation de la Conférence islamique (OIC)[1], pour son 10e sommet, réunissait les chefs d'État de cinquante-sept pays sous la présidence du Premier ministre malaisien d'alors, Mahathir Mohamad. Ce médecin engagé, connu dans les années 1960 et 1970 pour son anticolonialisme nourri d'anti-occidentalisme, son anglophobie virulente et son nationalisme xénophobe (anti-Chinois notamment), est aussi un idéologue, auteur d'un essai politique paru en

1. La création de l'Organisation de la conférence islamique a été décidée lors d'une conférence au sommet réunie à Rabat en septembre 1969.

1970, *The Malay Dilemma*, dans lequel, entre autres propos dirigés contre « les étrangers » (opposés aux « fils du sol », les Malais de souche), il stigmatise les Juifs sur la base du stéréotype de la « puissance financière » sans frontières, érigée en instinct supposé ethnique : « Les Juifs n'ont pas seulement le nez crochu, mais ils ont une compréhension instinctive de la finance. [...] Leur avarice et leur génie de la finance leur a permis de parvenir à contrôler commercialement l'Europe. » Celui qu'on présente souvent comme le « père de la Malaisie moderne », lors de son discours d'ouverture du sommet de l'OIC, le 16 octobre 2003, après avoir déclaré qu'« aujourd'hui, les Juifs gouvernent le monde par procuration », a lancé un appel aux « un milliard trois cents millions de musulmans » à s'unir contre « quelques millions de Juifs ». Le thème central de son discours était la domination du monde par les Juifs « arrogants » et ce que pourraient faire les musulmans du monde entier, présentés comme « humiliés » et « opprimés », face à cette « minorité » devenue une « puissance mondiale ». Arrivé au pouvoir en 1981, le Dr Mahathir, loin d'être un marginal, est « l'un des responsables les plus écoutés en Asie, dans le monde arabe et même au-delà[1] ». Il incarne la figure du seul leader « altermondialiste » avant la lettre qui, ayant su résister au fameux « consensus de Washington », a réussi à la fois à « se protéger et [à] profiter de la mondialisation[2] ». Il s'agit donc d'un « homme dont les

1. « Antisémitisme », éditorial (non signé), *Le Monde*, 19-20 octobre 2003, p. 15.
2. *Ibid.*

mots comptent». C'est pourquoi son discours d'ouverture du sommet de l'OIC doit être considéré à la fois comme l'expression d'un consensus de base dans le monde musulman et comme un appel crédible à la mobilisation de tous les musulmans contre leurs ennemis, les «quelques millions de Juifs» qui les narguent. Il ne s'agit pas d'une résurgence du vieil antisémitisme d'État, qui serait adapté aux spécificités d'un pays asiatique, mais de l'émergence d'une judéophobie trans-étatique, internationalisée ou, si l'on préfère, globalisée. En dépit de ses déclarations provocatrices et répétitives sur les «étrangers», les Occidentaux ou les Juifs, l'autocrate efficace de Malaisie n'est donc ni un marginal, ni un extrémiste illuminé. Il convient de citer de larges extraits de son discours appelant à «restaurer l'honneur de l'islam et des musulmans» pour montrer à quel point la vision antijuive du monde, centrée sur les accusations de complot et d'appétit de pouvoir, s'est banalisée dans le discours politique international :

> «En réalité, nous sommes très forts : un milliard trois cents millions de personnes ne peuvent être tout bonnement anéanties. Les Européens ont tué six millions de Juifs sur douze millions. Mais, aujourd'hui, les Juifs gouvernent le monde par procuration. Ils obtiennent que les autres se battent et meurent pour eux. [...]. Nous sommes face à un peuple qui réfléchit. Ils [les Juifs] ont survécu à 2000 ans de pogroms, non pas en rendant les coups, mais en réfléchissant. Ils ont inventé et réussi à promouvoir le socialisme, le communisme, les droits de l'homme et la démocratie, pour que leur persécution soit perçue comme un mal et qu'ils puissent en fin de compte jouir de droits égaux à ceux des autres. De la sorte, ils ont maintenant pris le contrôle

des pays les plus puissants et, quoique ne constituant qu'une petite communauté, ils sont devenus une puissance mondiale. Nous ne pouvons les combattre seulement physiquement. Nous devons utiliser aussi nos cerveaux.[1] »

Dans son discours, le Dr Mahathir a précisé sa vision du grand conflit des civilisations (Européens/Juifs *versus* musulmans), en jouant sur les représentations victimaires de l'islam et des musulmans, et en indiquant la voie de la victoire contre les Juifs supposés « dominateurs » :

« Nous sommes tous musulmans. Nous sommes tous opprimés. Tous, nous sommes humiliés. [...] Au fil des siècles, l'Oumma et la civilisation musulmane devinrent si faibles qu'à une certaine époque, il n'y avait pas un seul pays musulman qui ne fût colonisé par les Européens ou victime de leur hégémonie. [...] Les Européens pouvaient faire ce qu'ils voulaient des territoires musulmans. Il n'est pas surprenant qu'ils aient excisé une terre musulmane pour créer l'État d'Israël afin de résoudre leur problème juif. Divisés, les musulmans ne purent rien faire de tangible pour mettre fin au péché de Balfour[2] et du sionisme. [...] Notre religion enjoint aux pays musulmans de se préparer à la défense de l'Oumma. [...] Pour nous défendre, nous avons besoin de fusils et de roquettes, de bombes et d'avions, de chars et de vaisseaux de guerre. [...] Aujourd'hui,

1. Je cite le discours de Mahathir Mohamad d'après *The Star Online* (http://thestar.com.my) : « Dr Mahathir opens 10th OIC Summit » (article qui reproduit l'ensemble du discours).
2. Référence à la « déclaration Balfour », texte par lequel lord Arthur James Balfour, ministre britannique des Affaires étrangères, annonce le 2 novembre 1917 que le gouvernement de Sa Majesté « envisage favorablement l'établissement en Palestine d'un foyer national pour le peuple juif ».

[...] notre religion est dénigrée. Nos lieux saints sont profanés. Nos pays sont occupés. Notre peuple est affamé et assassiné. Aucun de nos pays n'est vraiment indépendant. Nous sommes soumis à des pressions visant à ce que nous nous conformions aux désirs de nos oppresseurs en matière de comportement, de gouvernement de nos pays, de façons de penser. [...] Il y a un sentiment de désespoir au sein des pays musulmans et de leurs populations. Ils ont l'impression qu'ils sont incapables de faire quoi que ce soit de correct. Ils croient que les choses ne peuvent évoluer qu'en empirant. Les musulmans seront pour toujours opprimés et dominés par les Européens et par les Juifs. [...] Il est impossible qu'il n'y ait pas une autre voie. Un milliard trois cents millions de musulmans ne peuvent être vaincus par quelques millions de Juifs. [...] L'important, c'est de gagner la bataille, et non de se livrer à des représailles furieuses et à la vengeance. [...] Depuis bientôt un demi-siècle, nous nous sommes battus pour la Palestine, sans obtenir le moindre résultat. »

Ces propos antijuifs ont été officiellement condamnés par les États-Unis, Israël et l'Union européenne, dès le 16 octobre 2003. À Washington, le porte-parole adjoint du Département d'État, Adam Ereli, a déclaré que ces propos étaient « insultants, incendiaires ». L'Union européenne, de Bruxelles, a déploré l'usage par le Dr Mahathir d'expressions « gravement offensantes, clairement antisémites[1] ». Mais lorsque le Dr Mahathir a lancé que « les Juifs dirigent

1. Voir Jean-Claude Pomonti, « Les pays membres de la Conférence islamique étalent leurs faiblesses et leurs divisions sur l'Irak » (sous-titre : « Les propos antisémites du Premier ministre de Malaisie sont fustigés par Bruxelles et Washington »), *Le Monde*, 18 octobre 2003, p. 3.

le monde par procuration », l'envoyé spécial du *Monde* relève que « ces propos n'ont pas suscité le moindre murmure de désapprobation » dans la salle de conférence, et que « des applaudissements fort nourris ont, en revanche, salué la fin de l'allocution[1] ». Les chefs d'État présents, tels que le Pakistanais Pervez Moucharraf ou l'Iranien Mohammed Khatami, ont soutenu le Dr Mahathir. Le président somalien Abdoulkassim Salat a cru bon de faire cette mise au point équivoque : « C'est un discours qui n'est pas une tentative d'incitation à la haine ou à la guerre contre les Juifs mais qui, en fait, appelle à l'unité des musulmans face aux menaces des Juifs. » Farouq Kaddoumi, le responsable de la diplomatie palestinienne qui tient lui-même souvent des propos aussi incendiaires qu'irresponsables, a bien sûr jugé que le Dr Mahathir avait « dit la vérité », et en a profité pour demander à Israël de « mettre un terme aux atrocités contre nous », oubliant opportunément les massacres de civils israéliens commis par les terroristes palestiniens. Quant au ministre yéménite des Affaires étrangères, Abou Bakr Al-Qurbi, approuvant à « 100 % » les propos du Dr Mahathir, il a ainsi résumé et adapté, en la reprenant à son compte, la classique vision des Juifs « maîtres du monde » : « Le Premier ministre malaisien a souligné un problème très important : les Israéliens et les Juifs contrôlent la majorité de l'économie et des médias de la planète. » Ce 10e sommet de l'OIC a été aussi l'occasion,

1. Jean-Claude Pomonti, « Le président malaisien maintient ses déclarations sur les Juifs : ni excuses ni regrets », *Le Monde*, 19-20 octobre 2003, p. 6.

pour les dirigeants des pays musulmans, de réitérer leur soutien à Yasser Arafat et de condamner la « persécution continue » du peuple palestinien par les Israéliens, dont la vraie nature aurait été dévoilée au public mondial par le Dr Mahathir, nouveau spécialiste musulman de la « question juive »[1]. En alimentant l'imaginaire du « complot contre l'Islam », attribué essentiellement aux Occidentaux et aux Juifs, le Dr Mahathir répond habilement à la demande idéologique des masses d'un monde arabo-musulman qui se sent humilié et impuissant. Il joue désormais un rôle comparable à celui du célèbre industriel Henry Ford dans l'entre-deux-guerres, autre forte personnalité qui dénonça la « volonté de domination » du « Juif international »[2]. L'internationalisation du mythe Rothschild, noyau de l'antisémitisme économique du XIXe siècle (également distribué dans les milieux respectivement socialistes et nationalistes), n'a donc pas épargné la Malaisie : depuis un tiers de siècle, le discours de Mahathir comporte régulièrement, avec ou sans référence explicite aux Juifs, des attaques contre les « financiers rapaces » et le « capitalisme aveugle ». En outre, selon un geste rhétorique qu'on retrouve dans le discours de la plupart de ceux qui fabriquent aujourd'hui

1. Déclarations au 10e sommet de l'OIC, citées par Jean-Claude Pomonti, *ibid.*

2. Henry Ford, *The International Jew*, Dearborn, Mich., The Dearborn Publishing CO., 1920-1922, 4 vol. Ce recueil d'éditoriaux constitue une application à l'interprétation de l'évolution du monde moderne, dans tous ses aspects, du modèle diffusé par les *Protocoles des Sages de Sion*, à savoir celui de la « conspiration juive internationale ». Voir Baldwin, 2001.

l'imaginaire judéophobe, Mahathir n'hésite pas à s'indigner d'être taxé d'antisémitisme, et, lorsque son sens pragmatique l'incite à le faire, condamne l'antisémitisme. Tel est l'un des paradoxes constitutifs de la nouvelle judéophobie : en même temps qu'on l'invente et qu'on l'alimente, on la dénonce et on la condamne (sous son vieux nom répulsif : « antisémitisme »). Comme si l'intensification de la haine des Juifs, chose sérieuse, valait bien une petite concession rhétorique !

D'une façon générale, l'une des particularités argumentatives du nouveau discours judéophobe consiste, pour l'énonciateur, à ne pas assumer la visée antijuive de son propos (aussi évidente soit-elle), voire à l'accompagner d'une condamnation rituelle, de facture « antiraciste », du « racisme et de l'antisémitisme ». La stratégie rhétorique minimale consiste à substituer, dans tous les contextes, les mots « sioniste » et « sionisme » à « Juif » et « judaïsme ». Procéder à une simple substitution lexicale permet à de nombreux propagandistes antijuifs d'éviter d'être sanctionnés pour leurs appels à la haine contre les Juifs dits « sionistes ». Il leur suffit de lancer : « Je ne suis pas antisémite, je suis seulement [*sic*] antisioniste. » C'est le cas du comique Dieudonné, qui est sorti de son rôle de bouffon pour s'ériger en leader d'une « cause noire » à la française, qu'il affirme en l'opposant à « l'axe américano-sioniste [1] ». Tout particulièrement en France, les producteurs de discours antijuif,

1. Pour la mention et l'analyse de nombreux exemples, voir Taguieff, 2004b, pp. 388-410.

tenant compte à la fois de l'état de l'opinion (majoritairement hostile à l'expression directe de la haine des Juifs) et de l'existence d'une législation antiraciste permettant de sanctionner les propos reconnus comme antisémites, font mine de s'indigner d'être désignés en tant qu'« antisémites ». Parmi de nombreux exemples de cette posture rhétorique, on peut citer certaines déclarations hautement significatives de Robert Faurisson, chef de file des négationnistes depuis la fin des années 1970 : « Je ne suis pas antisémite. Il faut éviter de voir des antisémites partout. [...] L'antisémitisme n'est pas le pire des racismes mais une bonne façon de nous le faire croire est précisément de nous faire croire au "génocide" des Juifs. Les sionistes sont allés trop loin. [1]» Dans cette interview, avant de se déclarer non antisémite, Faurisson rappelait qu'il avait soutenu la « thèse » suivante : « Jamais Hitler n'a ordonné ni admis que quiconque fût tué en raison de sa race ou de sa religion. [2]» Le négateur du génocide nazi des Juifs d'Europe et des chambres à gaz homicides a précisé ainsi ses accusations, dans lesquelles il est difficile de ne pas voir une manifestation d'antisionisme radical : « Ce massacre n'était heureusement qu'un bobard de guerre. [...] Les principaux bénéficiaires de l'opération ont peut-être été l'État d'Israël et le sionisme international. Les principales victimes ont été le peuple allemand – mais non pas ses dirigeants – et le

1. Interview de Robert Faurisson à *Storia illustrata*, n° 261, août 1979, réalisée par Antonio Pitamiz; reprise, après avoir été revue, corrigée et annotée par l'auteur, *in* Thion, 1980, pp. 196, 198.
2. Faurisson, *in* Thion, 1980, p. 187.

peuple palestinien tout entier. [1]» Telle est la vision judéophobe qui fonde le discours négationniste : la démonisation d'Israël et du « sionisme international » en constitue le noyau. Mais, dans la période post-nazie, l'énonciation de positions judéophobes n'inclut plus l'assomption de ce qu'il est convenu de nommer l'antisémitisme. Conformément à cette posture inhérente à la nouvelle judéophobie, Mahathir a rejeté les accusations d'antisémitisme. Quant aux commentateurs en connnivence avec un tel grand producteur d'appels à la « revanche » contre les Juifs, ils ont déclaré sans sourciller ne pas percevoir la moindre trace d'antisémitisme dans le discours prononcé le 16 octobre 2003 par Mahathir[2].

5. Le complotisme au pouvoir : délires iraniens

On ne saurait s'étonner de ce que la République islamique d'Iran, l'un des plus puissants pays musulmans où règne une judéophobie d'État, continue de publier et de diffuser les *Protocoles* de façon officielle. Lors de la 57e Foire du livre de Francfort (Allemagne), tenue du 19 au 23 octobre 2005, les *Protocoles* et *Le Juif international* (recueil d'articles antijuifs attribués à Henry Ford) étaient en vente au stand des éditeurs iraniens. La version offerte des *Protocoles* était la réimpression de l'édition anglaise du faux

1. Faurisson, *in* Thion, 1980, pp. 193, 194.
2. Voir par exemple Bhatia, 2003.

diffusée en 1985 par l'Organisation pour la Propagande Islamique. Quelques jours plus tard, le 26 octobre, le président iranien Mahmoud Ahmadinejad, dans un discours prononcé devant 4000 « étudiants » (dits « radicaux » ou « intégristes ») réunis en congrès à Téhéran sur le thème « Le monde sans le sionisme », a lancé un appel à la destruction d'Israël, dans le cadre d'une mobilisation totale contre l'Occident, stigmatisé comme « le Monde Oppresseur » ou « la Globale Arrogance » :

> « La création du régime qui occupe Al-Qods (Jérusalem) a été une manœuvre significative du système globalement dominant et de la Globale Arrogance (l'Occident) contre le monde islamique. Un combat historique est en train d'être mené entre le Monde Oppresseur et le monde islamique et les racines de ce conflit ont des centaines d'années. [...] Le Monde Oppresseur a créé le régime qui occupe Al-Qods pour qu'il soit la tête de pont de sa domination du monde islamique. La bataille qui se joue en Palestine aujourd'hui est donc celle de la ligne de front du conflit entre le monde islamique et le Monde Oppresseur. Aujourd'hui, la nation palestinienne combat le Monde Oppresseur pour l'Oumma (nation) islamique tout entière. [...] Nombreux sont ceux qui sèment les graines de la défaite et du désespoir dans cette guerre totale entre le monde islamique et le Front des Infidèles [...]. Notre cher Imam [Ruhollah Khomeiny] a ordonné que le régime qui occupe Al-Qods soit rayé de la surface de la terre. Ce qui a été une parole très sage. [...] Quiconque reconnaîtrait cet État [Israël] signerait la défaite du monde islamique. Dans sa lutte contre l'Arrogance du monde notre cher Imam a désigné la base centrale de commandement de l'ennemi, à savoir le régime qui occupe Al-Qods. [...] Nous devons prendre garde aux conspirations. [...] La nation isla-

mique ne peut permettre à cet ennemi historique d'exister au cœur du monde islamique. [1]»

En décembre 2005, présent à La Mecque (Arabie Saoudite) où il participait à un sommet de l'Organisation de la conférence islamique (OCI), Mahmoud Ahmadinejad a exprimé des doutes sur la réalité du génocide nazi des Juifs d'Europe et proposé le transfert d'Israël en Europe. Mêlant le négationnisme au projet criminel de détruire l'État d'Israël, ces propos ont été tenus lors d'une conférence de presse le 8 décembre 2005 et rapportés par l'agence de presse officielle iranienne Irna. « Certains pays européens insistent pour dire qu'Hitler a tué des millions de Juifs dans des fours et vont jusqu'à dire que quiconque affirme le contraire doit être condamné et jeté en prison », a commencé par déclarer Ahmadinejad, qui a aussitôt ajouté : « Bien que nous n'acceptions pas cette affirmation, si elle était vraie nous poserions la question suivante aux Européens : "Le meurtre de Juifs innocents par Hitler constitue-t-il la raison de leur soutien aux occupants de Jérusalem ?" » Puis, de façon provocatrice, le président iranien a lancé : « Si les Européens étaient honnêtes, ils devraient offrir une partie de leurs territoires en Europe – comme l'Allemagne, l'Autriche ou d'autres pays – aux sionistes, de manière à ce que ces derniers y installent leur État. Proposez une partie de l'Europe et (en échange) nous vous soutiendrons. » Dans

1. Extraits de la version française intégrale du discours du président iranien, tel qu'il a été rapporté par l'agence de presse ISNA, qui appartient au gouvernement iranien (26 octobre 2005).

une interview à la chaîne de télévision satellitaire iranienne Al-Alam, le président iranien a ainsi précisé la proposition faite aux Européens : « Maintenant que vous croyez que les Juifs ont été opprimés, pourquoi les musulmans palestiniens doivent-ils en payer le prix ? [...] Bon, vous les avez opprimés, donnez un morceau de terre européenne au régime sioniste pour qu'il y établisse le gouvernement qu'il veut et nous le soutiendrons. [...] Que l'Allemagne et l'Autriche donnent deux ou trois de leurs provinces au régime sioniste et le problème sera réglé à la racine. » Quelques heures plus tard, l'ayatollah Ali Khamenei, guide suprême de la République islamique d'Iran, a apporté son soutien aux propos du président Ahmadinejad. À La Mecque, le chef de l'État iranien, qualifiant Israël de « tumeur[1] » et, recourant à un argument caricaturalement nativiste (et contestable du point de vue nativiste), a récusé le droit des Juifs à vivre sur le territoire d'Israël : « La question qui se pose est : D'où proviennent ceux qui gouvernent en Palestine en tant qu'occupants ? Où leurs pères vivaient-ils ? Ils n'ont pas de racines en Palestine alors qu'ils se sont emparés du sort de cette nation. » Ahmadinejad a réitéré la position traditionnelle de Téhéran sur l'organisation d'un référendum « des populations natives de cet endroit » – à l'exclusion donc de la population juive arrivée après la Seconde Guerre mondiale – « afin qu'elles déterminent leur propre régime ».

1. Voir Delcambre, 2006, p. 31, qui insiste sur la dimension paranoïaque de cette vision islamiste.

Le 14 décembre 2005, dans un discours prononcé lors d'un rassemblement dans la province du Sistan-Baloutchistan (sud-ouest de l'Iran) et retransmis en direct par la télévision d'État, le président iranien a dénoncé une nouvelle fois le « mythe du massacre des Juifs » et proposé de créer un État juif en Europe, aux États-Unis, au Canada ou encore en Alaska :

> « Ils [les Occidentaux] ont inventé le mythe du massacre des Juifs et le placent au-dessus de Dieu, des religions et des prophètes. Si quelqu'un dans leurs pays met en cause Dieu, on ne lui dit rien, mais si quelqu'un nie le mythe du massacre des Juifs, les haut-parleurs sionistes et les gouvernements à la solde du sionisme commencent à vociférer. [...] Si vous dites vrai quand vous dites que vous avez massacré et brûlé six millions de Juifs durant la Seconde Guerre mondiale [...], si vous avez commis ce massacre, a-t-il ajouté à l'adresse des Occidentaux, pourquoi ce sont les Palestiniens qui doivent en payer le prix? Pourquoi, sous prétexte de ce massacre, êtes-vous venus [vous, les Juifs] au cœur de la Palestine et du monde islamique ? [...] Pourquoi avoir créé un régime sioniste factice ? [...] Notre proposition [aux Occidentaux] est celle-là : Donnez un morceau de votre terre en Europe, aux États-Unis, au Canada ou en Alaska pour qu'ils [les Juifs] créent leur État. »

Ces déclarations « antisionistes » réitérées avaient été précédées par des défilés militaires au cours desquels l'on avait pu voir sur les missiles des banderoles portant un message dénué d'ambiguïté : « Mort à Israël »[1]. De telles déclarations provocatrices indiquent une double

1. Voir Delpech, 2006, p. 80.

volonté de rupture et d'affrontement que la République islamique est la seule, parmi les pays musulmans, à pouvoir assumer. L'Iran, l'un des premiers pays producteurs de pétrole, est en effet une puissance financière doublée d'une puissance militaire. Aux dires de certains spécialistes de géopolitique, l'Iran était, en décembre 2005, à quelques mois de la maîtrise totale de l'enrichissement de l'uranium, technique indispensable pour la fabrication de l'arme atomique, prévue quant à elle au plus tard pour 2010[1]. Les déclarations du président Ahmadinejad montrent que l'Iran ambitionne de prendre la tête du djihad contre l'Occident et Israël. Les provocations calculées de cet inquiétant président ne font certes pas l'unanimité dans la classe politique iranienne. C'est ainsi que l'ancien président iranien Mohamad Khatami a déclaré le 28 février 2006 à l'agence de presse iranienne : « La Shoah est un fait historique. Nous devons reconnaître qu'en Allemagne, le régime nazi a commis des massacres contre des innocents, y compris un nombre important de Juifs [...] Notre religion ne nous autorise pas à tuer la moindre personne, y compris un Juif ». Cette déclaration contredisait clairement les allégations négationnistes de son successeur, Ahmadinejad. Mais c'était pour réactiver l'amalgame polémique entre l'État d'Israël et l'Allemagne nazie, thème devenu majeur dans

1. Sur les ambitions militaires de l'Iran et les conséquences stratégiques majeures qu'aurait l'acquisition de l'arme nucléaire par ce pays menaçant, voir Delpech, 2006.

la propagande palestinienne depuis les années 1980[1]. Khatami s'est en effet empressé de préciser « qu'Israël profitait de ce fait historique pour pourchasser les Palestiniens. Ceux qui se considèrent victimes du fascisme s'empressent d'adopter eux-mêmes une politique fasciste au Proche-Orient »[2].

La troisième « Conférence internationale Al-Qods et pour le soutien au peuple palestinien », organisée par les autorités iraniennes à Téhéran du 14 au 16 avril 2006, a été un vaste forum dominé par la dénonciation du « complot sioniste » avec des accents négationnistes[3]. Cette Conférence antisioniste, qui a rassemblé de très nombreuses délégations étrangères, a été essentiellement consacrée à des appels à la destruction de l'État d'Israël. Parmi les 600 officiels invités, on comptaient plus de vingt présidents de Parlement (Algérie, Cameroun, Comores, Congo, Cuba, Guinée, Indonésie, Liban, Madagascar, Malaisie, Mauritanie, Maurice, Ouganda, Qatar, Seychelles, Sierra Leone, Sri Lanka, Soudan, Syrie, Venezuela, Zimbabwe...),

1. Thème qui peut paraître paradoxal lorsqu'on rappelle le rôle de l'Allemagne nazie dans la formation, dès la venue d'Hitler au pouvoir, d'un mouvement arabe et musulman de « résistance » à la présence juive en Palestine, incarné par son leader charismatique, le mufti de Jérusalem, Amin el-Husseini (1895-1974), antijuif fanatique appelant au djihad contre les Juifs et collaborateur de la Solution finale. Voir Küntzel, 2002, 2003 et 2004.

2. Mohamad Khatami, cité par le *Yediot Aharonot*, 1er mars 2006 (revue de presse de Proche-Orient.info, 1er mars 2006).

3. Voir Marwan Haddad, « Durban à Téhéran. Haine et négationnisme », http://www.proche-orient.info, 18 avril 2006.

onze vice-présidents de Parlement (Autorité palestinienne, Bahreïn, Gambie, Jordanie, Libye, Maroc, Oman, Philippines, Sénégal, Tunisie et Togo), ainsi que des représentants officiels d'autres Parlements (Afrique du Sud, Albanie, Arménie, Bénin, Bosnie, Kenya, Koweït, Mali, Mexique, Russie, Somalie). Étaient aussi présents des ministres, des députés, des universitaires, des poètes, auxquels s'ajoutaient près de 400 journalistes venus couvrir l'événement. Ladite Conférence eut un invité d'honneur, le père du petit Mohammed Al-Dura (dont la mort supposée a été filmée pour servir d'instrument télévisuel de propagande), militant palestinien parlant parfaitement la langue de bois antisioniste : « La résistance palestinienne ne s'arrêtera pas. L'Intifada se poursuivra jusqu'à la libération de toutes les terres occupées et la création d'un État palestinien dont la capitale sera Jérusalem. Nous appelons l'Iran et tous les Arabes et les musulmans à nous soutenir ; c'est le seul moyen, pour les Palestiniens, d'accéder à la victoire ».

La troisième « Conférence internationale Al-Qods et pour le soutien au peuple palestinien » a été ouverte par un discours très violent du Guide suprême de la Révolution islamique, l'ayatollah Ali Khamenei, qui a appelé à la destruction de « l'entité sioniste », et fut ponctuée d'appels du même style lancés par le président iranien Mahmoud Ahmadinejad et le président du Parlement iranien Gholam-Ali Haddad-Adel. Le thème du « complot contre l'islam » (un « complot sioniste » ou « américano-sioniste ») a constitué l'axe central des communications, comme l'illustre cette déclaration de Moubarak Chamekh, vice-président de l'Assemblée du Peuple libyenne, ne manquant pas d'exploiter l'affaire des caricatures danoises de Mahomet : « La résistance légitime du peuple palestinien n'a rien à voir avec le terrorisme. Le vrai terrorisme fait partie d'un complot organisé qui vise l'islam. Ce complot a différents visages, et la diffamation du Prophète à travers des caricatures est l'un de ses scénarios. » Nabih Berri, chef du Parlement libanais, a varié sur le même thème conspirationniste : « Les occupants de Jérusalem (al-Qods) veulent détruire son identité islamique et arabe. Israël a fondé son identité sur le terrorisme d'État, et a préparé, avec l'appui des États-Unis, un plan pour expulser tous les Palestiniens des territoires occupés. La Palestine doit être libérée par les musulmans, et les Palestiniens doivent poursuivre leur résistance contre le complot sioniste. » Le secrétaire général du mouvement islamiste libanais Tawhid (sunnite), Cheikh Bilal Chaaban, a déclaré de son côté : « Tous les musulmans doivent œuvrer pour libérer la Palestine de l'occupation sioniste. Comme l'avait dit l'imam Khomeiny, Israël est une tumeur cancéreuse expansionniste qui a commis les pires crimes à l'encontre des Palestiniens. » Le secrétaire général du Djihad islamique, Ramadan Abdallah Chalah, a mis en garde contre toute reconnaissance de « l'entité usurpatrice ». Fakhria Diara, membre du conseil de la Choura de Bahreïn, a quant à lui insisté sur les méfaits de « l'internationale sioniste » : « C'est un honneur pour moi de participer à cette conférence. Les peuples du monde entier devraient s'unir et soutenir les Palestiniens dans leur lutte contre l'internationale sioniste. » Enfin,

Nicolas Maduro, chef du Parlement vénézuélien, a ajouté une note tiers-mondiste et « altermondialiste » au concert antisioniste et négationniste : « Nous sommes venus pour partager nos expériences et faire montre de notre solidarité. Depuis 1945, les puissances hégémoniques ont autorisé le massacre des peuples de Palestine et d'Irak, et elles veulent aujourd'hui priver la République islamique d'Iran de la science et de la technologie. L'union des nations opprimées de par le monde est le seul moyen d'atteindre la victoire. La nation palestinienne peut compter sur l'appui du Venezuela. »

Dans la déclaration finale de la Conférence, l'islamisation de la cause palestinienne se conjugue avec l'appel à l'éradication de l'État juif :

> « La cause palestinienne est le pivot de l'Oumma arabe et musulmane, et il est du devoir de l'Oumma arabe et musulmane de soutenir le peuple de Palestine qui est à l'avant-garde de la lutte de cette Oumma pour la libération de la Palestine. La Conférence considère le régime sioniste qui est actuellement sur la terre de Palestine comme un usurpateur, non autochtone et étranger à son environnement arabe et islamique. Il n'a pas droit à l'existence, ni légalement ni légitimement. »

Cette Conférence organisée par le régime iranien n'aura donc été qu'une succession d'appels à la haine contre Israël, l'Amérique et plus généralement l'Occident, sur le mode conspirationniste.

6. Réactivation de l'imaginaire conspirationniste après le 11 septembre 2001

Porté par la vague islamiste autant que par la propagande « antisioniste », l'une et l'autre mondialisées, le mythe du complot juif mondial est devenu crédible pour des centaines de millions de musulmans. Et son vecteur privilégié, les *Protocoles,* est entré dans une nouvelle étape de sa carrière internationale. Les attentats anti-américains du 11 septembre 2001, bien qu'ils aient été revendiqués par les dirigeants d'Al-Qaida[1], sont dénoncés par divers milieux, aux États-Unis même, comme le produit d'un complot « juif » ou « sioniste »[2]. Le publiciste français Thierry Meyssan, dont l'essai sur le 11 septembre 2001, *L'Effroyable imposture* (sous-titré : « Aucun avion ne s'est écrasé sur le Pentagone ! ») est vite devenu un best-seller international, mêlant la rumeur négatrice formulée par son sous-titre à l'affirmation que les commanditaires des attentats du World Trade Center, loin d'être Ben Laden et un sous-groupe d'Al-Qaida (autre rumeur négatrice), étaient les membres d'une conjuration américaine visant

1. Voir par exemple, d'Oussama Ben Laden, le texte de décembre 2002 (« Recommandations tactiques »), la déclaration enregistrée diffusée le 18 octobre 2003 (« Seconde lettre aux musulmans d'Irak »), ou le « Message au peuple américain », allocution diffusée par Al-Jazira le 30 octobre 2004. Voir Kepel/Milelli, 2005, pp. 83-87, 97, 101-111.
2. Voir le film de Marc Levin (2005), ainsi que Jaecker, 2005.

à faire pression sur le gouvernement Bush[1]. En avril 2002, lors d'une conférence tenue à Abu-Dhabi (Émirats arabes unis) sous les auspices de la Ligue arabe, Meyssan dénonce « la fable des terroristes islamistes » à propos de ces attentats :

> « Dès les premières minutes qui suivirent le premier attentat contre le World Trade Center, des officiels ont suggéré à la presse que le commanditaire en était Oussama Ben Laden, le paradigme du fanatisme oriental. Peu après, le tout nouveau directeur du FBI, Robert Mueller III, a nommément accusé dix-neuf kamikazes et a requis tous les moyens de son agence et des services de renseignement pour traquer leurs complices. Le FBI n'a donc jamais procédé à une enquête, mais a coordonné une chasse à l'homme qui a pris, aux yeux du public américain, l'allure d'une chasse à l'Arabe. [...] Au moins un des commanditaires des attentats du 11 septembre est un des dirigeants, civil ou militaire, des États-Unis d'Amérique. Pour créditer la fable des terroristes islamistes, les autorités américaines ont imaginé des kamikazes. Bien qu'il soit possible à des personnes organisées d'introduire des armes à feu dans des avions de ligne, les kamikazes auraient utilisé comme seules armes des cutters. Ils auraient appris à piloter des Boeing 757 en quelques heures de simulateur et seraient devenus meilleurs pilotes que des professionnels. Ils auraient ainsi pu réaliser sans hésitation des manœuvres d'approche complexe. [...] Au vu des éléments que je viens de vous présenter, il apparaît que les attentats du

1. Voir Meyssan, 2002a et 2002b. Pour une analyse critique de cette mise en forme conspirationniste de rumeurs négatrices, voir Dasquié/Guisnel, 2002; Taguieff, 2004b, pp. 134 (note 92), 306; Vitkine, 2005, pp. 21-34, 105-107; Renard, 2006, pp. 63-64; Taïeb, 2006, pp. 137-138, 140-142.

11 septembre ne sont pas imputables à des terroristes étrangers issus du monde arabo-musulman – même si certains exécutants peuvent être islamiques –, mais à des terroristes américains. [1] »

Le général Leonid Ivashov, qui était le chef d'état-major des armées russes le 11 septembre 2001[2], a théorisé la rumeur négatrice selon laquelle « le terrorisme international n'existe pas », en ce sens qu'il se réduirait, comme les attentats du 11 septembre, à une mise en scène dont les responsables et les bénéficiaires seraient les membres d'une « oligarchie mondialisée ». Les terroristes islamistes seraient de simples figurants. Comme dans la série *X-Files*, la vérité serait ailleurs : les grands manipulateurs occultes seraient les membres de la « nouvelle élite mondiale ». Ivashov reformule ainsi la vision complotiste classique, dans une perspective « antimondialisation », qui postule la puissance manipulatrice d'un « gouvernement secret » international :

« L'analyse de l'essence du processus de globalisation, ainsi que des doctrines politiques et militaires des États-Unis et de certains autres pays, prouve que le terrorisme contribue à la réalisation d'une domination mondiale et à la soumission des États à une oligarchie mondialisée. Cela signifie que le terrorisme n'est pas un sujet indépendant de la politique mondiale

1. Meyssan, 2002c.
2. Le général Leonid Ivashov est vice-président de l'Académie des problèmes géopolitiques. Il fut chef du département des Affaires générales du ministère de la Défense de l'Union soviétique, secrétaire du Conseil des ministres de la Défense de la Communauté des États indépendants (CEI), chef du Département de coopération militaire du ministère de la Défense de la Fédération de Russie.

mais simplement un instrument, un moyen d'instaurer un monde unipolaire ayant un seul centre de direction globale, un expédient pour effacer les frontières nationales des États et instaurer la domination d'une nouvelle élite mondiale. C'est justement cette nouvelle élite qui est le sujet clef du terrorisme international, son idéologue et son "parrain". [...] Si l'on analyse dans ce contexte les événements du 11 septembre 2001 aux États-Unis, on peut en tirer les conclusions suivantes : 1. Les commanditaires de ces attentats sont les cercles politiques et les milieux d'affaires qui avaient intérêt à déstabiliser l'ordre mondial et qui avaient les moyens de financer cette opération. La conception politique de cet acte a mûri là où sont apparues des tensions dans la gestion des ressources – financières et autres. Les raisons de ces attentats doivent être recherchées dans la collision des intérêts du grand capital au niveau transnational et global, dans les cercles qui ne sont pas satisfaits par les cadences du processus de globalisation ou par la direction que ce processus prend. À la différence des guerres traditionnelles dont la conception est déterminée par des politiciens et des généraux, les initiateurs en furent des oligarques et des politiciens qui leur sont soumis. 2. Seuls les services secrets et leurs chefs actuels ou retraités – mais ayant conservé de l'influence à l'intérieur des structures étatiques – sont capables de planifier, organiser et gérer une opération de telle ampleur. D'une manière générale, ce sont les services secrets qui créent, financent et contrôlent les organisations extrémistes. Sans leur soutien, de telles structures ne peuvent pas exister – et encore moins effetuer des actions d'une telle ampleur à l'intérieur de pays particulièrement bien protégés. Planifier et réaliser une opération de cette échelle est extrêmement compliqué. 3. Oussama ben Laden et "al Qaïda" ne peuvent être ni les organisateurs ni les exécutants des attentats du 11 septembre. Ils ne possèdent ni l'organisation requise pour cela, ni les ressources intellectuelles, ni les cadres nécessaires. Par conséquent, une équipe de professionnels a dû être formée et les kamikazes arabes jouent le rôle de figurants pour masquer l'opération. L'opération du 11 septembre a changé la marche des événements dans le monde, dans la direction qu'avaient choisie les oligarques internationaux et la mafia transnationale, c'est-à-dire ceux qui aspirent au contrôle des ressources naturelles de la planète, à celui du réseau d'information globale et des flux financiers. Cette opération a aussi joué le jeu de l'élite politique et économique des États-Unis qui aspire également à la domination globale. [1]»

Dans le contexte conspirationniste post-11 septembre, les *Protocoles* retrouvent une actualité, en fournissant un cadre d'interprétation aux rumeurs négatrices à visée antijuive du type : « Aucun Juif n'était présent dans les deux tours du World Trade Center, le 11 septembre 2001 », laissant entendre que les Juifs vivant à New York savaient qu'un attentat serait commis ce jour-là, qu'ils avaient donc été secrètement prévenus de l'attaque (éventuellement par les organisateurs occultes des attentats), devenant ainsi des complices de l'opération terroriste. Il y a là une forme faible de négationnisme. Le négationnisme au sens fort du terme (comme négation de la Shoah) s'inscrit nécessairement dans le complotisme antijuif : pour ceux qui affirment qu'« aucun Juif n'a été gazé à Auschwitz », le « mensonge d'Auschwitz » ne peut être que le produit d'un grand complot dont les Juifs ont été les artisans ou

1. Ivashov, 2006. Ce texte a été mis en ligne le 9 janvier 2006 sur le site du Réseau Voltaire, animé par Thierry Meyssan.

les principaux artisans, en même temps que les principaux bénéficiaires.

La vision du « complot sioniste mondial » produit une compréhension illusoire de la politique mondiale, réduite aux avatars d'un dualisme manichéen, dont le simplisme est par lui-même attrayant. Plus le devenir planétaire, par sa complexité croissante, devient illisible et inquiétant, plus l'offre complotiste gagne en puissance de séduction. Elle semble satisfaire à la fois la demande d'explication et le besoin de se défendre contre la menace. Rien n'est plus facile que de se laisser guider et rassurer par les idées simples. On ne s'étonne pas de voir de nouveaux démagogues au pouvoir, tel le président vénézuélien Hugo Chávez, reprendre à leur compte les thèmes d'accusation visant les « maîtres du monde », ces derniers paraissant inclure la « puissance financière juive »[1], comme dans cette allo-

1. Voir Jean-Hébert Armengaud, « Le credo antisémite de Hugo Chávez », *Libération*, 9 janvier 2006, p. 7. À la suite des vives réactions du Centre Simon Wiesenthal pour l'Amérique latine (Argentine), accusant le président vénézuélien de solliciter dans ce discours deux stéréotypes de l'antijudaïsme traditionnel (les Juifs comme peuple déicide et comme puissance financière), Chávez et son entourage se sont empressés de récuser cette interprétation, en affirmant que le discours du 24 décembre 2005 était dénué de toute intention antijuive. Voir Annette Lévy-Willard, « Hugo Chávez dément être antisémite », *Libération*, 16 janvier 2006, p. 9. Le 13 janvier 2006, lors de son discours annuel devant les députés vénézuéliens, le démagogue-président a contre-attaqué en dénonçant un complot « impérialiste » contre lui : « Antilibéral je suis, anti-impérialiste, encore plus, mais antisémite, jamais. C'est un mensonge. Et je suis certain que cela fait partie d'une campagne impérialiste. »

cution prononcée la veille de Noël, le 24 décembre 2005 devant l'auditoire du Centre Manantial de Los Suefos dans l'État de Miranda, un centre d'hébergement et de réinsertion de personnes sans domicile fixe, où, après s'être lancé dans ses diatribes habituelles contre « l'impérialisme », le héros des nouveaux tiers-mondistes et des « altermondialistes » en vient à célébrer « Jésus, le commandant des commandants des peuples, Jésus le justicier [...], le Christ révolutionnaire, le Christ socialiste », et enchaîne sur une allusion fort équivoque aux « minorités qui se sont emparées des richesses mondiales » :

> « Aujourd'hui, plus que jamais en 2005 ans, il nous manque Jésus-Christ [...]. Le monde dispose d'assez de richesses et de terres pour tous [...], mais, dans les faits, des minorités, les descendants de ceux-là mêmes qui crucifièrent le Christ, les descendants de ceux qui jetèrent Bolivar hors d'ici et le crucifièrent aussi à leur manière à Santa Marta en Colombie [...], se sont emparées des richesses mondiales, une minorité s'est approprié l'or de la planète, [...] et a concentré les richesses entre quelques mains. Moins de 10 % de la population du monde possède la moitié des richesses du monde entier et [...] plus de la moitié des habitants de la planète sont pauvres et chaque jour il y a de plus en plus de pauvres dans le monde. Ici, nous avons décidé de changer le cours de l'Histoire. »

On hésite sur l'interprétation de telles déclarations faites de clichés, d'amalgames polémiques, d'allusions et d'analogies historiques douteuses : faut-il y voir une dénonciation du « complot impérialiste » ? du « complot impérialiste américain » ? du « complot américano-sioniste » ? En quoi les membres de la « minorité » possédant aujourd'hui « la moitié des richesses mondiales » sont-ils les « descendants » de ceux qui « crucifièrent le Christ » ? Faut-il rappeler que, dans la vulgate chrétienne encore largement dominante dans les pays latino-américains, ce sont toujours les Juifs qui sont accusés d'avoir crucifié Jésus ? Pourquoi le dictateur-président n'a-t-il pas, dans ces conditions, pris soin de préciser qu'il visait, dans ses diatribes, les seuls Romains ? Attendu comme une superstar au Forum social mondial organisé à Caracas à partir du 24 janvier 2006[1], Chávez devait être aussi l'un des premiers chefs d'État à soutenir le président iranien élu en juin 2005, Mahmoud Ahmadinejad, celui-là même qui a appelé à « rayer Israël de la carte »[2]. Chávez défend

1. Organisée de façon « polycentrique » en 2006, la 6e édition du Forum social mondial s'est ouverte à Bamako (Mali) le 19 janvier 2006, s'est poursuivie à Caracas (Venezuela) du 24 au 29 janvier, pour se terminer à Karachi (Pakistan) en mars.

2. Si le discours du 24 décembre 2005 a été perçu comme une attaque contre les Juifs, c'est parce qu'il venait après un certain nombre d'épisodes illustrant les tendances antijuives du populisme « révolutionnaire » à la Chávez. Jean-Hébert Armengaud (art. cit.) fait ce rappel : « Le 29 novembre, la communauté juive vénézuélienne s'était déjà inquiétée quand 25 policiers armés avaient investi le Centre hébraïque de Caracas, qui inclut une école, pour, officiellement et en vain, chercher des indices sur l'assassinat à la voiture piégée, un an auparavant, du procureur chargé d'enquêter sur le coup d'État du 12 avril 2002 qui avait chassé Hugo Chávez du pouvoir pendant deux jours. Des médias d'État vénézuéliens avaient insinué que le Mossad pourrait avoir été derrière cet assassinat. Le procureur général du Venezuela a également accusé la CIA d'avoir "planifié" cet attentat. Dans les années 1990, Hugo Chávez a longtemps été conseillé et inspiré par Norberto Ceresole, notamment

le droit de l'Iran à posséder l'arme atomique, et, avec les présidents cubain, bolivien et iranien, envisage la création d'un « front anti-impérialiste »[1]. Enfin, on ne saurait oublier que Chávez a été en 2004 lauréat du « Prix Kadhafi international des droits de l'Homme », après les grands humanistes Ahmed Ben Bella (1995), Louis Farrakhan (1997), Fidel Castro (1999), Roger Garaudy (2002, avec d'autres, comme Jean Ziegler), et pour finir Mahathir Mohamad (2005)[2]. La plupart des lauréats du « Prix Kadhafi » se caractérisent par leur « anti-impérialisme », c'est-à-dire par un mixte d'antiaméricanisme et d'antisionisme radical, porté par une

sur le thème favori du président vénézuélien, les liens entre *Armée, Caudillo, Peuple*, titre d'un livre de cet "idéologue" argentin qui avait déjà été conseiller de la dictature militaire nationaliste "de gauche" péruvienne de Juan Velazco Alvarado, entre 1968 et 1975. Norberto Ceresole est un révisionniste affiché qui disait de lui-même, avant sa mort, en 2003 : "Je ne suis bien sûr ni antisémite ni nazi (...), je fais juste partie d'un révisionnisme qui veut démontrer qu'une partie importante du récit de la déportation et de la mort des Juifs sous le système nazi a été arrangée en forme de mythe." Après la tentative de coup d'État du lieutenant-colonel Hugo Chávez en 1992, Norberto Ceresole avait été expulsé du pays. Chávez l'avait rappelé à ses côtés en 1998, juste après son élection, avant de s'en séparer un an plus tard. » Voir aussi la mise au point remarquable d'Anne Lifchitz-Krams, « Hugo Chávez est-il antisémite ? », http://www.crif.org, 17 janvier 2006.

1. En novembre 2004 Chávez avait rencontré en Iran Ahmadinejad, alors que ce dernier était maire de Téhéran. Le démagogue vénézuélien a annoncé, au début de décembre 2005, qu'il effectuerait en 2006 une visite en Iran afin de renforcer la « lutte contre l'impérialisme » et la « prétention hégémonique des États-Unis ».

2. Cet étrange Prix Kadhafi a commencé par être décerné aux « enfants palestiniens de l'Intifada », en 1990.

vision du complot mondial. C'est dans ce contexte que des intellectuels, des écrivains et des artistes vénézuéliens ont signé une pétition pour exprimer leur inquiétude devant l'apparition, pour la première fois depuis 2003, de manifestations d'antisémitisme dans leur pays[1].

En Allemagne, les milieux islamistes utilisent toutes les occasions pour diffuser leur littérature conspirationniste,

1. Selon les admirateurs communistes et tiers-mondistes du démagogue, la « minorité » ploutocratique d'aujourd'hui serait l'héritière des « puissances impériales » de l'époque de Jésus (les Romains) : c'est « l'impérialisme », ou « l'impérialisme américain », qui serait seul dénoncé. Voir Ixchel Delaporte, « Hugo Chávez taxé d'antisémitisme à des fins manipulatrices », *L'Humanité*, 17 janvier 2006. Selon plusieurs organisations juives vénézuéliennes (qui ménagent à l'évidence le maître du pays où ils ne sont qu'une faible minorité), la phrase d'Hugo Chávez contre « la minorité qui s'est emparée des richesses du monde » ne visait pas les Juifs mais « l'oligarchie blanche ». Marie Delcas, dans son article titré « La communauté juive du Venezuela se démarque du Centre Simon-Wiesenthal sur l'"antisémitisme" du président Hugo Chávez » (*Le Monde*, 14 janvier 2006), commente : « Ce n'est pas l'opinion des intellectuels vénézuéliens de l'opposition. Une trentaine d'entre eux, ex-recteurs d'université, prestigieux professeurs et écrivains, ont signé une pétition "contre les allusions antisémites du discours officiel vénézuélien". Les signataires rappellent que, avant son arrivée au pouvoir, Hugo Chávez a été conseillé par le révisionniste argentin Norberto Ceresole. Ils s'inquiètent du rapprochement de leur pays avec l'Iran de Mahmoud Ahmadinejad. Membre de l'Académie d'histoire et rédacteur de la pétition, Manuel Caballero note qu'il n'existe au Venezuela, pays métissé où vivent peu de Juifs, aucune tradition d'antisémitisme. "Les propos voilés de M. Chávez n'en sont que plus intolérables", considère l'historien. » Voir aussi la mise au point de Pierre Haski, « Retour sur un discours d'Hugo Chávez », *Libération*, 20 janvier 2006, p. 32.

mêlant rééditions de textes antijuifs « classiques » (tels les *Protocoles*), pamphlets négationnistes et « antisionistes ». Le 19 avril 2006, l'Initiative de Kreuzberg contre l'Antisémitisme (Kreuzberger Initiative gegen Antisemitismus) a diffusé un communiqué de presse sur l'exposition, à l'occasion de la Foire du livre de Berlin, de vidéos et d'ouvrages antisémites dans une mosquée de Kreuzberg :

> « Depuis des années ont lieu à Berlin des foires et des salons du livre dans lesquels se vendent des publications au contenu islamiste et antisémite. Actuellement a lieu du 14 avril au 1er mai la "Berlin 5. Kitap Fuari" (5e Foire du livre de Berlin), qui se tient dans l'arrière-cour de la mosquée Mevlana, proche de l'organisation islamiste turque Milli Görüs [...]. Parmi les vidéos en vente on trouve, entre autres, un DVD antisémite. Il s'agit de la version turque d'une série de la TV iranienne, Sahar-1, *Filinstinli Zehra'nin gözleri* ("Les yeux de Zehra, la Palestinienne"). Une documentation de la série produite par MEMRI avait conduit en février 2005 à l'interdiction de la chaîne Sahar-1 pour incitation à la haine antisémite, en France et aux Pays-Bas. Parmi les livres en vente, on trouve des traductions d'écrits du célèbre Frère musulman Sayyid Qutb, ainsi que des ouvrages de littérature populaire antisémite, basés sur la théorie du complot. Dans le livre intitulé *Dünyayi kimler Yönetiyor ? Gizli Dünya Devleti* ("Qui régit le monde ? Le gouvernement secret mondial"), il est question d'un prétendu gouvernement mondial sioniste. Dans *Müslümanlarin Müslümanlasmasi* ("L'Islamisation des musulmans"), Ahmed Kalkan explique, dans le chapitre intitulé "La judaïsation des nôtres et les caractéristiques du judaïsme", que la perte de l'identité islamique conduit à ce qu'il qualifie de "yahudilesme" (judaïsation). Tout ce qui existe de mauvais est assimilé au judaïsme. À l'aide de citations

tirées du Coran, Kalkan énonce 64 caractéristiques de la "judaïsation", parmi lesquelles : "La rupture de la promesse avec Dieu, la transformation en singe, les intrigues et la décomposition, la non-reconnaissance et le meurtre des prophètes, la cruauté, la trahison, être banni par Dieu, ne pas éprouver de sentiment de jalousie. Ils vivent comme des porcs, et se transformeront aussi en porcs [...]." Le passage se termine par l'affirmation suivante : "Le plus dangereux n'est pas le Juif de l'extérieur, mais le Juif qui est en nous." [...]. En 2005, on pouvait trouver dans cette même foire les titres suivants : *The International Jew* de Henry Ford, *Les Protocoles des Sages de Sion* et toute une série de livres du négationniste turc Adnan Oktar, alias Harun Yahya, parmi lesquels : *La Politique israélienne de domination du monde, La Philosophie du sionisme, Judaïsme et franc-maçonnerie.* [1]»

En Grande-Bretagne, les mobilisations universitaires en faveur du boycottage d'Israël (mais jamais contre l'Iran, le Soudan, la Syrie ou l'Arabie Saoudite) sont lancées sur fond de représentations conspirationnistes des « sionistes » et/ou des Juifs. Dans un article intitulé « Les "Protocoles" à la mode du XXIe siècle », paru dans *Haaretz* le 27 mai 2006, le politologue israélien Benjamin Neuberger, après avoir passé deux ans à l'université d'Oxford, entre 2003 et 2005, témoigne de ce qu'il a entendu dans les milieux universitaires, avec stupeur, sur Israël et le sionisme. Ces rumeurs hostiles et ces stéréotypes négatifs, au-delà de l'assimilation polémique de celui-ci au racisme, à l'impérialisme et au colonialisme, s'articulent dans un grand récit sur la domination du monde. La thèse centrale en est qu'Israël,

1. Demirel/Kayi, 2006.

à travers les États-Unis, contrôle la politique mondiale. Neuberger résume ainsi la vision conspirationniste qui s'est diffusée dans l'espace universitaire britannique :

> « Les discours antisémites ne sont pas considérés comme illégitimes. Quand on parle des "sionistes", souvent on ne se réfère pas uniquement aux Israéliens mais aussi aux Juifs (spécialement les Juifs des États-Unis), depuis que tout le monde sait qu'ils contrôlent le Pentagone, le Congrès et la Maison Blanche, et alors que tout le monde sait que les Juifs servent Israël. Et donc Israël contrôle les Juifs des États-Unis, les Juifs étatsuniens dirigent la politique des États-Unis et les États-Unis dirigent le monde. Les "Protocoles des Sages de Sion" à la mode du XXIe siècle ! J'ai entendu parler des "Foxmans" qui veulent contrôler l'Europe et des "Schwartzes" qui corrompent des membres du Congrès. [1] »

L'imaginaire politique mondial est dominé par la dénonciation des « maîtres du monde » accusés de tous les crimes, passés, présents et à venir. Réincarnations du Diable. Ces « maîtres du monde » supposés cachés sont démasqués et dénoncés comme des criminels (coupables de « crimes contre l'humanité ») par ceux qui se présentent comme leurs victimes ou les descendants/héritiers de leurs victimes[2]. À l'âge équivoque de la sécularisation

1. Neuberger, 2006.
2. En France, on connaît le mouvement de ceux qui se dénomment eux-mêmes les « Indigènes de la République », formule de ralliement de la communauté imaginaire et militante formée par ceux qui s'affirment comme les descendants/héritiers des esclaves ou des colonisés par l'ancienne France (monarchique et républicaine). Voir l'Appel diffusé le 18 janvier 2005 : « Nous sommes les

et de la désécularisation, sorte d'interrègne, les nouveaux récits manichéens opposant forces du Bien et du Mal, qui puisent autant dans l'imaginaire politique du complot que dans la mythologie des « sociétés secrètes » ou des extraterrestres envahisseurs, présentent l'avantage de réenchanter le monde, serait-ce de façon inquiétante. Comme si, pour la plupart des humains, mieux valait un sens de l'Histoire frisant le cauchemar que pas de sens du tout. Et un monde déréalisé puis surréalisé plutôt que la triste figure du monde réel[1].

Après un siècle d'exploitation idéologico-politique des *Protocoles*, on peut identifier les principales fonctions que leurs usages sont susceptibles de remplir. En ayant à l'esprit que le dévoilement d'un complot chimérique est souvent suivi de l'organisation réactive d'un contre-complot, quant à lui bien réel. Ces fonctions peuvent être réduites à cinq[2] :

1° Expliquer en simplifiant par l'identification des puissances occultes incarnant des ennemis impitoyables.

2° Se défendre contre la menace en dévoilant les secrets des ennemis cachés.

---

indigènes de la République !... », présenté par ses rédacteurs comme un « appel pour les Assises de l'anti-colonialisme post-colonial » ; http://oumma.com/article.php3?id_article=1355, 4 décembre 2005.

1. Voir Taguieff, 2005, pp. 377-429.

2. Pour une analyse plus développée, voir Taguieff, 2004b, pp. 797-804.

3° Légitimer une action contre l'ennemi absolu et diabolisé, une action prétendument défensive, mais qui peut prendre la forme d'un projet d'extermination.

4° Mobiliser pour une cause, serait-ce celle de la revanche ou de la vengeance.

5° Réenchanter, sur le mode du fantastique ou de l'épouvante, le monde, l'histoire, la politique.

Conclusion

Il reste à répondre à la question : comment expliquer et comprendre la récente vague ésotéro-complotiste ? On peut distinguer plusieurs facteurs, dont les effets convergents deviennent particulièrement sensibles depuis le milieu des années 1990.

1° L'appel du vide produit par la sécularisation en Occident : le rétrécissement de la sphère d'influence du christianisme institutionnel (catholicisme et protestantisme) favorise la diffusion et la réception des croyances à l'état sauvage, sur fond d'une recherche inquiète de « réponses » à une demande de spiritualité « libérée » de l'enseignement dogmatique des religions instituées. La rationalisation théologique ne joue plus. Et le relativisme généralisé (culturel, cognitif, doxique, etc.) empêche de définir un quelconque ensemble de critères sur des bases rationnelles (universalisables). Rien n'interdit plus d'imaginer que les dieux et les démons sont partout. Surtout les démons, puissances obscures auxquelles est attribuée la mondialisation, réduite à ses aspects négatifs.

2° Le besoin de sens non satisfait provoqué par le retrait des « religions séculières » elles-mêmes, doctrines de salut collectif liées le plus souvent à la foi dans le Progrès et à des visions utopiques de l'avenir du genre humain (communisme, socialisme, etc.). Après le fascisme et le nazisme, les autres « religions politiques » ou « séculières » ont été disqualifiées. Il reste le schème du conflit des forces et de la lutte des groupes, les nœuds formés par les secrets et les stratégies, mais l'identité de l'adversaire perd son évidence ou sa clarté, l'ennemi devient insaisissable. Par le mythe complotiste, l'ennemi flou se transforme en ennemi caché, occulte : les « maîtres secrets du monde ». Créatures inquiétantes et hybrides, mi-humaines, mi-sataniques, que des écrivains habiles peuvent mettre en scène dans des récits pseudo-historiques ou dans des fictions policières. Le frisson est garanti. Il y a là une offre hyperbolique d'explication, qui répond à la demande latente d'un public désorienté et inquiet, travaillé aussi par le ressentiment[1]. Pouvoir nommer ce qui inquiète, c'est, magiquement, exercer un pouvoir sur les êtres dénommés. C'est trouver un certain apaisement. Avec un supplément de satisfaction : celle de se percevoir comme un « initié ».

3° La révolte contre la rationalisation et l'uniformisation croissantes des sociétés contemporaines, initiant une quête de spiritualité en même temps que la recherche quasi policière d'une cause explicative : qu'y a-t-il derrière le visible, et qu'on tient pour le réel, simple effet ou trompeuse

1. Voir Boudon, 2002, pp. 102-105.

apparence ? Quel est le moteur caché de ce processus monstrueux, quels sont les responsables occultes de la marche insensée et désespérante du monde ? D'où la recherche d'individus ou de groupes censés diriger la marche du monde. Mais pour accéder à la « vérité », un semblant d'initiation est nécessaire : il faut décrypter les messages cryptés et décoder les rituels mystérieux pour en pénétrer le sens caché. Plaisir du décodage sans fin. Par ailleurs, l'attribution d'intentions aux facteurs qui mènent l'histoire conduit vers le mythe du « Gouvernement secret ». Celui d'une « cryptocratie » mondiale et satanique, présentée comme la « vérité » de la démocratie, réduite à un décor trompeur. Les appels vertueux à la transparence se heurtent régulièrement aux « révélations » de scandales liés à des affaires de corruption ou à des machinations politico-financiaires. D'où l'impression que tout se joue dans les coulisses. C'est l'envers obscur du décor qui devient l'objet de la curiosité inquiète. Grâce aux « révélations » de type conspirationniste, le malheur des hommes paraît s'expliquer : c'est « la faute aux méchants », aux puissants sans scrupule qui agissent dans l'ombre, sous le masque des procédures démocratiques. Parmi les théories hyperboliques exploitant la demande sociale, celles qui relèvent de l'« intellectualisme prolétaroïde[1] » sont particulièrement efficaces, parce qu'elles mêlent au simplisme (dont les vertus mnémotechniques sont bien connues) des évidences empi-

1. Expression empruntée par Raymond Boudon à Max Weber (Boudon, 2002, p. 102).

riques largement diffusées, comme le fait de la corruption ou l'existence d'inégalités perçues comme scandaleuses. Chez les citoyens naïfs qui consomment passivement cet ensemble de représentations polémiques, cette « démystification » ne laisse rien subsister de la confiance vis-à-vis des élites dirigeantes.

4° La demande de savoir accélérée par un double sentiment d'ignorance et d'impuissance devant la complexité croissante des sociétés contemporaines, qui sont aussi des sociétés techno-scientifiques où le savoir est valorisé : face à des évolutions devenues inintelligibles et illisibles, nourrissant le sentiment d'une impuissance cognitive productrice de désarroi et d'anxiété, le mythe complotiste rassure en fournissant des réponses simples. Le simplisme des explications complotistes constitue une bouée de sauvetage pour les « paumés » de la mondialisation chaotique (ou perçue comme telle). Dans la société postmoderne qui « n'offre plus un système stable de catégorisation du réel »[1], les attributions relevant de la causalité diabolique, aussi simplistes soient-elles, fournissent l'illusion de retrouver des repères sûrs et des classifications stables. Les théories complotistes font partie des théories à la fois simples, fausses et utiles, pour parler comme Pareto et Boudon[2]. Utiles parce que répondant à une demande sociale qu'elles satisfont, elles sont imperméables à la pensée critique. Elles procurent

1. Renard, 2006, p. 71.
2. Boudon, 2004, pp. 156 *sq*.

l'illusion, par la révélation des terribles secrets censés porter l'Histoire, d'en devenir les maîtres.

5° La mondialisation de la communication rendue possible par Internet, qui permet l'explosion des rumeurs de complots, des accusations délirantes, des légendes et des mythes complotistes plus ou moins bricolés : espace de diffusion maximale et non contrôlée de tous les délires. Le Web est l'espace communicationnel où se réalise la relativisation totale des informations, des opinions, des savoirs. Cette relativisation provoque une indifférenciation entre le réel et le chimérique, elle rend indiscernables les informations vérifiées et les rumeurs[1]. La mythologie des *Illuminati*, par exemple, y est plus présente, et jugée plus éclairante, que la théorie de la relativité. Le vrai et le faux sont mélangés. Valéry est allé à l'essentiel en notant : « Le mélange du vrai et du faux est plus faux que le faux. » Cette culture populaire mondiale à dominante ésotéro-complotiste dont les éléments circulent sur le Web permet aux internautes de faire leur marché, en consommateurs avides de décodages et de décryptages. Triomphe de l'individualisme consumériste : par l'offre illimitée que le Web rend possible, une culture de type initiatique paraît être à la portée du consommateur quelconque.

6° Par son hybridation avec l'ésotérisme ou le « magisme », le complotisme opère un réenchantement du monde, en repeuplant le devenir de forces magiques et de puissances occultes. Un réenchantement négatif, par le fantasti-

1. Renard, 2002b.

que qui nourrit inquiétudes et angoisses, voire des visions engendrant l'épouvante. Mais le recours au terrifiant n'est pas dénué d'une fonction cathartique, de purgation et de sublimation : le négatif étant mis au compte du destin, il n'y a, en fin de compte, rien d'autre à faire que de l'accepter. La voie est ouverte au retour du diable[1], dont l'utilité est indéniable : il donne une figure reconnaissable au Mal. Avec l'illusion d'en pouvoir au moins capter magiquement quelque chose.

« L'art est un produit de remplacement à une époque où la vie manque de beauté », notait Mondrian. Je dirai volontiers, *mutatis mutandis*, que les productions culturelles mêlant ésotérisme et complotisme constituent un produit de substitution à une époque où la vie manque de sacré.

1. Oz, 2005.

Bibliographie
(ouvrages et articles cités)

Allen, 1971. Gary Allen (with Larry Abraham), *None Dare Call It Conspiracy*, Rossmoor, CA & Seal beach, CA, Concord Press, 1971.

Altounian, 1997. Janine Altounian, « Haine antisémite et sublimation épique dans la langue de Wagner », *Les Temps Modernes*, 52ᵉ année, n° 591, décembre 1996-janvier 1997, pp. 92-113.

Arendt, 1972. Hannah Arendt, *The Origins of Totalitarianism*, San Diego, CA, Harcourt Brace, 1951, IIIe partie : *Le Système totalitaire*, tr. fr. J.-L. Bourget, R. Davreu et P. Lévy, Paris, Le Seuil, 1972.

Augé, 1994. Marc Augé, *Le Sens des autres. Actualité de l'anthropologie*, Paris, Fayard, 1994.

Baigent *et al.*, 1983. Michael Baigent, Richard Leigh and Henry Lincoln, *The Holy Blood and the Holy Grail*, Londres, Jonathan Cape Ltd, 1982 (puis *Holy Blood, Holy Grail*, New York, Dell Publishing, 1983; revised edition, Londres, Arrow, 1996) ; tr. fr. Brigitte Chabrol : *L'Énigme sacrée*, Paris, Pygmalion/Gérard Watelet, 1983 (rééd., Paris, J'ai Lu, 2005).

Baigent *et al.*, 1987. M. Baigent, R. Leigh and H. Lincoln, *The Messianic Legacy*, Londres, Jonathan Cape Ltd, 1986; tr. fr. Hubert Tezenas : *Le Message*, Paris, Pygmalion/Gérard Watelet, 1987 (rééd., Paris, J'ai Lu, 2005).

Baldwin, 2001. Neil Baldwin, *Henry Ford and the Jews : The Mass Production of Hate*, New York, PublicAffairs, 2001.

Bang, 1919. Paul Bang [sous le pseudonyme de Wilhelm Meister], *Judas Schuldbuch. Eine deutsche Abrechnung*, Munich, Deutscher Volsverlag, 1919 (6ᵉ éd., 1920).

Barkun, 2003. Michael Barkun, *A Culture of Conspiracy : Apocalyptic Visions in Contemporary America*, Berkeley et Los Angeles, University of California Press, 2003.

Barruel, 1973. Abbé Augustin [de] Barruel, *Mémoires pour servir à l'histoire du jacobinisme*, Londres, 1797-1798, 4 vol. ; texte revu et corrigé, 1818; nouvelle édition, Chiré-en-Montreuil, Diffusion de la Pensée française, 1973, 2 vol.

Bärsch, 2002. Claus-Ekkehard Bärsch, *Die politische Religion des Nationalsozialismus. Die religiösen Dimensionen der NS-Ideologie in den Schriften von Dietrich Eckart, Joseph Goebbels, Alfred Rosenberg und Adolf Hitler*, Munich, Wilhelm Fink Verlag, 2002.

Bauer, 2002. Yehuda Bauer, *Repenser l'Holocauste* [2001], tr. fr. Geneviève Brzustowski, postface d'Annette Wieviorka, Paris, Éditions Autrement, 2002.

Beek, 1919. Gottfried zur Beek [pseudonyme de Ludwig Müller, dit Müller von Hausen] (Hg.), *Die Geheimnisse der Weisen von Zion*, publié à la demande de l'Union contre l'arrogance du judaïsme [Verband gegen die Überhebung des Judentums], Charlottenburg, Verlag « Auf Vorposten », 1919 (paru à la mi-janvier 1920; 5ᵉ éd., 1920; 10ᵉ éd., 1930; 22ᵉ éd., Munich, 1938).

Bein, 1965. Alexander Bein, « "Der jüdische Parasit". Bemerkungen zur Semantik der Judenfrage », *Vierteljahreshefte für Zeitgeschichte*, 13 (2), avril 1965, pp. 121-149.

Bein, 1980. A. Bein, *Die Judenfrage. Biographie eines Weltproblems*, Stuttgart, Deutsche Verlag, 1980, 2 vol.

Ben-Itto, 2005. Hadassa Ben-Itto, *The Lie That Wouldn't Die : The Protocols of the Elders of Zion*, Londres et Portland, OR, Vallentine Mitchell, 2005.

Ben Laden (Oussama), « Full text : bin Laden's 'letter to America' » (titre exact du texte de Ben Laden : « Letter to the American people »), http://observer.guardian.co.uk/worldview/story/0,11581,845725,00.html.

Benz, 2006. Wolfgang Benz (Hg.), *Legenden, Lügen, Vorurteile. Ein Wörterbuch zur Zeitgeschichte* [1992], 13e éd., Munich, Deutscher Taschenbuch Verlag, 2006.

Berding, 1991. Helmut Berding, *Histoire de l'antisémitisme en Allemagne* [1988], tr. fr. Olivier Mannoni, Paris, Éditions de la Maison des sciences de l'homme, 1991.

Berman, 2004. Paul Berman, *Les Habits neufs de la terreur* [2003], tr. fr. Richard Robert, préface de Pascal Bruckner, Paris, Hachette Littératures, 2004.

Bernstein, 1921. Herman Bernstein, *The History of a Lie: " The Protocols of the Wise Men of Zion". A Study,* New York, J. S. Ogilvie Publishing Co., 1921.

Bernstein, 1935. H. Bernstein, *The Truth about "The Protocols of Zion": A Complete Exposure,* New York, Covici Friede, 1935 (nouvelle édition, New York, Ktav Publishing House, 1971; introduction par Norman Cohn).

Besson, 2005. Sylvain Besson, *La Conquête de l'Occident. Le* projet *secret des islamistes,* Paris, Le Seuil, 2005.

Bhatia, 2003. Manjit Bhatia, « Mahathir, l'antisémitisme et l'hypocrisie occidentale », *Malaysiakini* [webzine indépendant, Kuala Lumpur], tr. fr., *Courrier international,* n° 678, 30 octobre-5 novembre 2003, p. 33.

Bodansky, 1999. Yossef Bodansky, *Islamic Anti-Semitism as a Political Instrument,* Ariel Center for Policy Research (ACPR), avril 1999.

Bodansky, 2004. Y. Bodansky, « Les Juifs et l'islam militant après Khomeyni », tr. fr. Claire Darmon, *Revue d'histoire de la Shoah,* n° 180, janvier-juin 2004, pp. 62-108 (chap. 6 de Bodansky, 1999).

Boudon, 1979. Raymond Boudon, *Effets pervers et ordre social* [1977], 2e édition mise à jour, Paris, PUF, 1979.

Boudon, 2002. R. Boudon, *Déclin de la morale ? Déclin des valeurs ?,* Paris, PUF, 2002.

Boudon, 2004. R. Boudon, *Pourquoi les intellectuels n'aiment pas le libéralisme,* Paris, Odile Jacob, 2004.

Boudon, 2005. R. Boudon, *Tocqueville aujourd'hui,* Paris, Odile Jacob, 2005.

Boutmi, 1922. *Les « Protocols » de 1901, de G. Butmi,* Paris, Revue internationale des sociétés secrètes et Librairie Émile-Paul, 1922 (publié sous la direction de Mgr Ernest Jouin, *Le Péril judéo-maçonnique,* vol. IV).

Brackman, 1994. Harold Brackman, *Ministry of Lies : The Truth Behind The Nation of Islam's « The Secret Relationship Between Blacks and Jews »,* New York, Four Walls Eight Windows, 1994.

Breuer, 2001. Stefan Breuer, *Ordnungen der Ungleichheit – die deutsche Rechte im Widerstreit ihrer Ideen 1871-1945,* Darmstadt, Wissenschaftliche Buchgesellschaft, 2003.

Bronner, 2000. Stephen Eric Bronner, *A Rumor about the Jews,* New York, St. Martin's Press, 2000.

Brown, 2004. Dan Brown, *Da Vinci Code,* New York, Doubleday, 2003; tr. fr. Daniel Roche : *Da Vinci code,* Paris, Jean-Claude Lattès, 2004.

Brown, 2005. D. Brown, *Angels and Demons* [2000], New York, Pocket Books, et Londres, Corgi Books, 2001; tr. fr. Daniel Roche : *Anges et démons,* Paris, Jean-Claude Lattès, 2005.

Brustein, 2003. William I. Brustein, *Roots of Hate : Anti-Semitism in Europe Before the Holocaust,* Cambridge (UK) et New York, Cambridge University Press, 2003.

Bülow, 2002. Andreas von Bülow, « Autant de traces qu'un troupeau d'éléphants » (tr. fr. J. D.), interview réalisée par les journalistes Stephan Lebert et Norbert Thomma, *Der Tagespiegel,* 13 janvier 2002, http://membres.lycos.fr/wotraceafg/buelow.htm.

Bülow, 2003. A. von Bülow, *Die CIA und*

der 11. September. Internationaler Terror und die Rolle der Geheimdienste, Munich, Piper, 2003.

Burrin, 1989. Philippe Burrin, *Hitler et les Juifs. Genèse d'un génocide*, Paris, Le Seuil, 1989.

Burrin, 2003. P. Burrin, « Nazi Antisemitism : Animalization and Demonization », *in* Robert S. Wistrich (ed.), *Demonizing the Other : Antisemitism, Racism and Xenophobia* [1999], rééd., Londres et New York, Routledge, 2003, pp. 223-235.

Burrin, 2004. P. Burrin, *Ressentiment et apocalypse. Essai sur l'antisémitisme nazi*, Paris, Le Seuil, 2004.

Burstein, 2004. Burstein (Dan) (dir.), *Les Secrets du* Code Da Vinci [2004], tr. fr. Guy Rivest, s.l. [Montréal], City Editions/Éditions Les Intouchables, 2004.

Burstein/de Keijzer, 2005. Dan Burstein et Arne de Keijzer (dir.), *Les Secrets révélés de* Anges & Démons [2004], tr. fr. Guy Rivest, Monaco, Éditions Alphée, 2005.

Campion-Vincent et Renard, 2002. Véronique Campion-Vincent et Jean-Bruno Renard, *De source sûre. Nouvelles rumeurs d'aujourd'hui*, Paris, Payot, 2002.

Campion-Vincent, 2005a. Véronique Campion-Vincent, *La Société parano. Théories du complot, menaces et incertitudes*, Paris, Payot, 2005.

Campion-Vincent, 2005b. V. Campion-Vincent, « From Evol Others to Evil Elites : A Dominant Pattern in Conspiracy Theories Today », *in* Gary Alan Fine, Véronique Campion-Vincent and Chip Heath (eds), *Rumor Mills : The Social Impact of Rumor and Legand*, Piscataway, NJ, Aldine Transaction, 2005, pp. 103-122.

Campion-Vincent, 2006. V. Campion-Vincent, « Ésotérisme et théories du complot sont liés » (propos recueillis par Isabelle Bourdial), *Science & Vie*, n° 1064, mai 2006, pp. 76-78.

Cantwell, 1993. Alan Cantwell, Jr, *Queer Blood : The Secret AIDS Genocide Plot*, Los Angeles, CA, Aries Rising Press, 1993.

Carr, 1998. William Guy Carr, *La Conspiration mondiale dont le but est de détruire tous les gouvernements et religions en place* [1958], tr. fr. anonyme, Châteauneuf, Éditions Delacroix, 1998.

Carr, 1999. W. G. Carr, *Des Pions sur l'échiquier*, tr. fr. P. C., Châteauneuf, Éditions Delacroix, 1999 (tr. fr. partielle de *Pawns in the Game*).

Carr, 2005a. W. G. Carr, *Pawns in the Game* [1955], Los Angeles, St. George Press, 1958; *reprint*, Boring, OR, CPA Book Publisher, s. d. (2005).

Carr, 2005b. W. G. Carr, *Satan : Prince of this World* [1959], 1966 [posthume]; tr. fr. André Comte : *Satan, prince de ce monde*, Cadillac, Éditions Saint-Rémi, 2005.

Carré, 1984. Olivier Carré, *Mystique et politique. Lecture révolutionnaire du Coran par Sayyid Qutb, Frère musulman radical*, Paris, Les Éditions du Cerf et Presses de la Fondation nationale des sciences politiques, 1984.

Carré, 1991. O. Carré, *L'Utopie islamique dans l'Orient arabe*, Paris, Presses de la Fondation nationale des sciences politiques, 1991.

Cecil, 1972. Robert Cecil, *The Myth of the Master Race : Alfred Rosenberg and Nazi Ideology*, New York, Dodd Mead, 1972 (puis Columbia University Press, 1994, 1995).

Chamberlain, 1913. Houston Stewart Chamberlain, *La Genèse du XIXe siècle* [1899], édition française par Robert Godet (revue par l'auteur), Paris, Payot, 1913, 2 vol.

Cherep-Spiridovitch, 2000. Maj.-Gen., Count Cherep-Spiridovitch, *The Secret World Government or « The Hidden Hand » : The Unrevealed in History* [1926], rééd., avant-propos de Paul Tice, Escondido, CA, The Book Tree, 2000.

CMIP, 2003. CMIP, *La Démocratie en danger. L'enseignement scolaire saoudien*, extraits de manuels scolaires traduits et présentés par Arnon Groiss, préface d'Antoine Sfeir, Paris, Berg International, 2003.

COHN, 1967. Norman Rufus Colin Cohn, *Histoire d'un mythe. La « Conspiration » juive et les Protocoles des Sages de Sion* [1967], tr. fr. Léon Poliakov, Paris, Gallimard, 1967.

Conspiracy Encyclopedia, 2005. *Conspiracy Encyclopedia : The Encyclopedia of Conspiracy Theories*, Introduction by Thom Burnett, Londres, Collins & Brown, 2005.

CONTE/ESSNER, 1995. Édouard Conte, Cornelia Essner, *La Quête de la race. Une anthropologie du nazisme*, Paris, Hachette, 1995.

COOPER, 1991. Milton William (dit « Bill ») Cooper, *Behold a Pale Horse*, Sedona, Arizona, Light Technology Publishing, 1989; édition revue, 1991.

COOPER, 2004. M. W. Cooper, *The Secret Government : The Origin, Identity, and Purpose of MJ-12*, 1989 (publication séparée d'un chapitre de *Behold A Pale Horse*) ; tr. fr. André Léonard Glen : *Le Gouvernement secret. L'origine, l'identité et le but du MJ-12*, Québec, Louise Courteau éditrice, 1989; 5e éd., 1999; nouvelle éd. augmentée : *Le Gouvernement secret*, suivi de : *Opération « Cheval de Troie »* [anonyme; John A. Keel?], 2004.

COOPER, 2005. M. W. Cooper, « Secret Societies/New World Order », http://www.theforbbidenknowledge.com, extrait le 8 mars 2005 (texte non daté, rédigé après le printemps 1990).

COSTON, 1937. Henry Coston *et al.*, « La Conspiration Juive » », *Le Siècle nouveau* [Office de Propagande Nationale], 3e année, n° 1, octobre 1937, pp. 1-32.

COSTON, 1942. H. Coston, *La Finance juive et les Trusts*, Paris, Éditions Jean-Renard, 1942.

COSTON, 1955. H. Coston, *Les Financiers qui mènent le monde*, Paris, La Librairie française, 1955.

COSTON, 1979. H. Coston, *La Conjuration des Illuminés*, Paris, Publications Henry Coston, 1979.

COSTON, 1984. H. Coston, *La Fortune anonyme et vagabonde*, Paris, Publications Henry Coston, 1984.

COSTON, 1986. H. Coston, *Le Monde secret de Bilderberg. Comment la haute finance et les technocrates dominent les nations*, Paris, Publications Henry Coston, 1986.

COSTON, 1991. H. Coston, *Une nouvelle synarchie internationale. La Trilatérale domine les nations et asservit les peuples. Voilà ses agents secrets dans le monde*, Paris, Publications Henry Coston, 1991.

COSTON, 1998. H. Coston *et al.*, *Le Gouvernement secret de l'Amérique*, Paris, (*Nous les Françaises*, n° 2), 1998.

COSTON, 1999. H. Coston *et al.*, *Les Maîtres du monde. Les vrais*, Paris, (*Nous, les Françaises*, n° 5), 1999.

COSTON, 2000. H. Coston *et al.*, *Le B'naï B'rith* [*sic*], *puissance maçonnique mondialiste*, Paris, (*Nous, les Françaises*, n° 7), 2000.

COX, 2004. Simon Cox, *Le* Code Da Vinci *décrypté. Le Guide non autorisé* [2004], tr. fr. Mylène Soval, Paris, Le Pré aux Clercs, 2004.

COX, 2005. S. Cox, *Anges ou Démons ? Les Illuminati décryptés. Le Guide non autorisé* [2004], tr. fr. Pierre Girard Paris, Le Pré aux Clercs, 2005.

CURTIS, 1986. Michael Curtis (ed.), *Antisemitism in the Contemporary World*, Boulder et Londres, Westview Press, 1986.

DASQUIÉ/GUISNEL, 2002. Guillaume Dasquié, Jean Guisnel, *L'Effroyable mensonge. Thèse et foutaises sur les attentats du 11 septembre*, Paris, La Découverte, 2002.

DELCAMBRE, 2003. Anne-Marie Delcambre, *L'Islam des interdits*, Paris, Desclée de Brouwer, 2003.

Delcambre, 2006. A.-M. Delcambre, *La Schizophrénie de l'islam*, Paris, Desclée de Brouwer, 2006.

Delpech, 2006. Thérèse Delpech, *L'Iran, la bombe et la démission des nations*, Paris, Éditions Autrement, coll. CERI/Autrement, 2006.

De Michelis, 2001. Cesare G. De Michelis, *La giudeofobia in Russia.* Dal *Libro del « kahal »* ai *Protocolli dei savi di Sion. Con un'anthologia di testi*, Turin, Bollati Boringhieri editore, 2001.

De Michelis, 2004. C. G. De Michelis, *The Non-Existent Manuscript : A Study of the Protocols of the Sages of Zion*, translated by Richard Newhouse, Lincoln, University of Nebraska Press, 2004.

Demirel/Kayi, 2006. Aycan Demirel, Elif Kayi (Kreuzberger Initiative gegen Antisemitismus), « La Foire du livre de Berlin, qui se tient dans l'arrière-cour d'une mosquée de Kreuzberg, expose des vidéos et des livres antisémites », tr. fr. du communiqué de presse diffusé le 19 avril 2006 par l'Initiative de Kreuzberg contre l'Antisémitisme, http://www.proche-orient.info, 20 avril 2006.

Dinter, 1921. Artur Dinter, *Die Sünde wider das Blut. Ein Zeitroman* [1917], 15e éd., Leipzig, Verlag Matthes und Thost, 1921.

Dorsey III, 1993. Herbert G. Dorsey III, *The Secret History of the New World Order*, Ojai, CA, s.d. [1993].

Drumont, 1886. Édouard Drumont, *La France juive. Essai d'histoire contemporaine*, Paris, C. Marpon et E. Flammarion, 1886, 2 vol.

Dühring, 1881. Karl Eugen Dühring, *Die Judenfrage als Racen-, Sitten-, und Culturfrage mit einer weltgeschichtlichen Antwort*, Karlsruhe und Leipzig, H. Reuther, 1881.

Dühring, 1883. K. E. Dühring, *Der Ersatz der Religion durch Vollkommeneres und die Ausscheidung alles Judenthums durch den modernen Völkergeist*, Karlsruhe und Leipzig, H. Reuther, 1883 (2e éd., Berlin, 1897).

Dupeux, 2000. Louis Dupeux, « Alfred Rosenberg ou le rôle d'une "religion" dans le nazisme », *Revue d'Allemagne et des pays de langue allemande*, 32 (2), avril-juin 2000, pp. 313-327.

Eckart, 1924. Dietrich Eckart, *Der Bolschewismus von Moses bis Lenin. Zwiegespräch zwischen Adolf Hitler und mir*, Munich, Hoheneichen, 1924.

Eckart, 1999. D. Eckart, *Bolshevism from Moses to Lenin : A Dialogue Between Adolf Hitler and Me*, traduit de l'allemand par William L. Pierce, *National Socialist World*, printemps 1966 ; 2e éd., Hillsboro, WV, National Vanguard Books, 1999.

Essner, 1995. Cornelia Essner, « Qui sera "juif" ? La classification "raciale" nazie, des "lois de Nuremberg" à la "conférence de Wannsee" », *Genèses. Sciences sociales et histoire*, n° 21, décembre 1995, pp. 4-28.

Etchegoin/Lenoir, 2004. Marie-France Etchegoin, Frédéric Lenoir, *Code Da Vinci : l'enquête*, Paris, Robert Laffont, 2004.

Evola, 1987. Julius Evola, *Écrits sur la franc-maçonnerie*, introduction et notes de Renato Del Ponte, tr. fr. François Maistre, Puiseaux, Éditions Pardès, 1987.

Fabréguet, 2000. Michel Fabréguet, « Artur Dinter, théologien, biologiste et politique (1876-1948) », *Revue d'Allemagne et des pays de langue allemande*, 32 (2), avril-juin 2000, pp. 233-244.

Faivre, 1996. Antoine Faivre, *Accès de l'ésotérisme occidental*, nouvelle édition augmentée, Paris, Gallimard, 1996, 2 vol.

Faivre, 2002. A. Faivre, *L'Ésotérisme* [1992], 3e édition mise à jour, Paris, PUF, 2002.

Fest, 1965. Joachim C. Fest, *Les Maîtres du IIIe Reich. Figures d'un régime totalitaire*, tr. fr. (anonyme), Paris, Bernard Grasset, 1965.

Fenster, 1999. Mark Fenster, *Conspiracy Theories : Secrecy and Power in American Culture*, Minneapolis, University of Minnesota Press, 1999.

Fontenelle/Icard, 2006. Sébastien Fontenelle, Romain Icard, *La France des sociétés secrètes*, Paris, Fayard, 2006.

Ford, 1920-1922. Henry Ford (recueil d'articles attribués à), *The International Jew*, Dearborn, Michigan, Dearborn Independent, 1920-1922, 4 vol.

Friedländer, 1997. Saul Friedländer, *L'Allemagne nazie et les Juifs. 1. Les années de persécution, 1933-1939*, tr. fr. Marie-France de Paloméra, Paris, Le Seuil, 1997.

Fritsch, 1924. Theodor Fritsch, *Die zionistischen Protokolle. Das Programm der internationalen Geheimregierung*, Leipzig, Hammer-Verlag, 1924 (16e éd., 1935).

Fritsch, 1934. T. Fritsch, *Handbuch der Judenfrage. Die wichtigsten Tatsachen zur Beurteilung des jüdischen Volkes*, Leipzig, Hammer-Verlag, 1934.

Fry, 1931. Leslie [ou Lesley] Fry, *Le Retour des flots vers l'Orient. Le Juif, notre maître*, tr. fr. Mme A. Barrault, Paris, Éditions R.I.S.S., 1931.

Furet, 1978. François Furet, *Penser la Révolution française*, Paris, Gallimard, 1978.

Geiss, 1988. Imanuel Geiss, *Geschichte des Rassismus*, Frankfurt/Main, Suhrkamp Verlag, 1988.

Ginzburg, 1980. Carlo Ginzburg, « Signes, traces, pistes. Racines d'un paradigme de l'indice » [1979], tr. fr. Jean-Pierre Cottereau, *Le Débat*, n° 6, novembre 1980, pp. 3-44 (repris *in* C. Ginzburg, *Mythes, emblèmes, traces. Morphologie et histoire*, tr. fr. Maurice Aymard *et al.*, Paris, Flammarion, 1989, sous le titre : « Traces. Racine d'un paradigme indiciaire »).

Goebbels, 1948. *Le Journal du Dr Goebbels. Texte intégral*, tr. fr. anonyme, Paris, À l'Enseigne du Cheval Ailé, 1948.

Gohier, 1920. Urbain Gohier, *« Protocols ». Procès-verbaux de réunions secrètes des Sages d'Israël*, Paris, Éditions de « La Vieille France », 1920.

Goodrick-Clarke, 1989. Nicholas Goodrick-Clarke, *Les Racines occultistes du nazisme. Les Aryosophistes en Autriche et en Allemagne, 1890-1935*, tr. fr. Patrick et Bernard Dubant, Puiseaux, Éditions Pardès, 1989 (1ère éd. angl., 1985).

Goodrick-Clark, 2002. N. Goodrick-Clarke, *Black Sun*, New York et Londres, New York University Press, 2002.

Grant, 1998. Judith Grant, « Trust No One : Paranoia, Conspiracy Theories and Alien Invasions », *Undercurrent 6*, Spring 1998, http://darkwing.uoregon.edu/~ucurrent6/6-grant.htm.

Graves, 1921. Philip P. Graves, *The Truth about the Protocols : A Literary Forgery*, Londres, Printing House, 1921. [Recueil des articles publiés par le journaliste dans *The Times*, Londres, 16, 17 et 18 août 1921 ; disponible sur http://www.2.h-net.msu.edu/~antis/doc/graves.a.html, janvier 2000].

Griffin, 2001. Des Griffin, *Fourth Reich of the Rich*, South Pasadena, CA, Emissary Publications, 1976 ; rééd., Clackamas, OR, 2001.

Gugenberger *et al.*, 1998. Eduard Gugenberger, Franko Petri, Roman Schweidlenka, *Welverschwörungstheorien. Die neue Gefahr von rechts*, Vienne et Munich, Franz Deuticke Verlagsgesellschaft, 1998.

Hagemeister, 1995a. Michael Hagemeister, « Wer war Sergej Nilus? Versuch einer bio-bibliographischen Skizze », *Ostkirchliche Studien*, vol. 40, 1991, 1, Augustinus-Verlag, Wurzbourg, pp. 49-63 ; tr. fr. M. Pique-Bressoux, « Qui était Serge Nilus? », *Politica Hermetica*, n° 9, 1995, pp. 141-158.

Hagemeister, 1995b. M. Hagemeister, « Die "Protokolle der Weisen von Zion". Einige Bemerkungen zur Herkunft und zur aktuellen Rezeption », *in* coll., *Russland und Europa. Historische und kulturelle Aspekte eines Jahrhundertproblems*, Leipzig, 1995, pp. 195-206.

Hagemeister, 1996. M. Hagemeister, « Sergej Nilus und die "Protokolle der Weisen von Zion". Überlegungen zur Forschungslage », *Jahrbuch für Antisemitismusforschung*, Bd. 5, (Francfort/M., Campus Verlag), 1996, pp. 127-147.

Hagemeister, 1997. M. Hagemeister, « The "Protocols of the Learned Elders of Zion" and the Basel Zionist Congress of 1897 », *in* Heiko Haumann (ed.), *The First Zionist Congress in 1897 – Causes, Significance, Topicality*, Basel, Karger, 1997, pp. 336-340.

Hagemeister, 2005. M. Hagemeister, « Protocols of the Elders of Zion », *in* Richard S. Levy (ed.), *Antisemitism : A Historical Encyclopedia of Prejudice and Persecution*, Santa Barbara, CA, ABC-CLIO, 2005, vol. 2, pp. 567-569.

Halk, 2000. Hans Thomas Halk, *Unknown Sources : National Socialism and the Occult* [1997], traduit de l'allemand par Nicholas Goodrick-Clarke, Edmonds, WA, Holmes Publishing Group, 2000.

Hitler, 1934. Adolf Hitler, *Mein Kampf*, tr. fr. J. Gaudefroy-Demombynes et A. Calmettes, Paris, Nouvelle Éditions latines, 1934.

Hofstadter, 1996. Richard Hofstadter, *The Paranoid Style in American Politics and Other Essays* [1965], Cambridge, Mass., Harvard University Press, 1996.

Holey, 1993. Jan van Helsing (pseudonyme de Jan Udo Holey), *Geheimgesellschaften und ihre Macht im 20. Jahrhundert oder wie man die Welt nicht regiert. Ein Wegweiser durch die Verstrickungen von Logentum mit Hochfinanz und Politik, Trilaterale Kommission, Bilderberger, CFR, UNO*, Meppen (Allemagne), Ewertverlag, 1993; puis Gran Canaria (Espagne), Ewertverlag, 1995, vol. 1 (version française : *Livre jaune n° 5*).

Holey, 1995a. Jan van Helsing, *Geheimgesellschaften 2. Interview mit Jan van Helsing. Die Verbindungen der Geheimregierung mit dem Dritten Weltkrieg, dem Schwarzen Adel, dem Club de Rome, AIDS, UFOs, Kaspar Hauser, der reichsdeutschen Dritten Macht, dem Galileo-Projekt, dem Montauk-Projekt, der Jason-Society, dem Jesus-Projekt, dem Anti-Christ u.v.m.*, Gran Canaria, Ewertverlag, 1995 (version française : *Livre jaune n° 6*).

Holey, 1995b. Jan van Helsing, *Secret Societies and their Power in the 20th Century : A Guide through the Entanglements of Lodges with High Finance and Politics*, Gran Canaria, Espagne, Ewertverlag, 1995.

Holey, 1996. Jan van Helsing, *Buch 3. Der Dritte Weltkrieg*, Lathen, Ewertverlag, 1996; nouvelle édition, (in zusammenarbeit mit Franz von Stein), Fichtenau, Ama Deus Verlag, 2004.

Holey, 1997a. Jan van Helsing, *Unternehmen Aldebaran. Kontakte mit Menschen aus einem anderen Sonnensystem*, Gran Canaria, Ewertverlag, 1997; Fichtenau, Ama Deus Verlag, 1998.

Holey, 1997b. Jan van Helsing, *Les Sociétés secrètes et leur pouvoir au 20ème siècle. Un fil conducteur à travers l'enchevêtrement des loges, de la haute finance et de la politique. Commission trilatérale, Bilderberger, CFR, ONU*, Les Éditions Felix, 1997.

Holey, 2001a. Collectif d'auteurs [Jan Udo Holey], *Livre jaune n° 5*, Les Éditions Félix, 2001 (nouvelle édition de Holey, 1997b).

Holey, 2001b. Collectif d'auteurs [Jan Udo Holey], *Livre jaune n° 6*, Les Éditions Félix, 2001.

Holey, 2004. Félix et son collectif d'auteurs présentent Robin de Ruiter [Jan Udo Holey], *Livre jaune n° 7*, Les Éditions Félix (en collaboration avec Worldwide Knowledge and Information Ltd.), 2004.

Holey (Jan Udo). Voir Helsing et *Livre jaune*.

Holmes, 1979. Colin Holmes, *Anti-Semitism in British Society 1876-1939,* Londres, Edward Arnold, 1979.

Horowitz, 2000. Leonard G. Horowitz, *Emerging Viruses : AIDS and Ebola – Nature, Accident or Intentional ?,* Rockport, MA, Tetrahedron, 1996; édition revue et augmentée, 1998; tr. fr. Bernard Metayer (revue et corrigée par le Dr Jean-Pierre Eudier) : *La Guerre des virus : Sida et Ebola. Naturel, accidentel ou intentionnel ?,* préface de W. John Martin, Port Louis, Île Maurice, Éditions Félix, 2000.

Icke, 2001. Icke (D.), *The Biggest Secret,* Scottsdale, Ariz., Bridge of Love Publications, 1999; Updated Second Edition, Valencia, CA, Bertelsmann, et Wilwood, MO, Bridge of Love Publications, 2001; tr. fr. Hélène Pallascio, Isabelle Cloutier : *Le Plus Grand Secret. Le livre qui transformera le monde,* Québec, Louise Courteau, 2001, t. 1 et t. 2.

Igounet, 2000. Valérie Igounet, *Histoire du négationnisme en France,* Paris, Le Seuil, 2000.

Inglehart, 1987. Ronald Inglehart, « Extremist Political Positions and Perceptions of Conspiracy », *in* Carl F. Graumann and Serge Moscovici (eds), *Changing Conceptions of Conspiracy,* New York, Springer-Verlag, 1987, pp. 231-244.

Introvigne, 1997. Massimo Introvigne, *Enquête sur le satanisme. Satanistes et antisatanistes du* XVII*e siècle à nos jours* [1994], tr. fr. Philippe Baillet, Paris, Éditions Dervy, 1997.

Israeli, 1993. Raphael Israeli, *Fundamentalist Islam and Israel : Essays in Interpretation,* Jerusalem Center for Public Affairs, Lanham (Maryland), University Press of America, 1993.

Israeli, 2004. Raphaël Israeli, « L'antisémitisme travesti en antisionisme », tr. fr. Jean-Pierre Ricard, *Revue d'histoire de la Shoah,* n° 180, janvier-juin 2004, pp. 109-171.

Ivashov, 2006. Général Leonid Ivashov, « Général Ivashov : Le terrorisme international n'existe pas », http://www.voltairenet.org/article132464.html, 9 janvier 2006.

Jäckel, 1991. Eberhard Jäckel, *Hitlers Weltanschauung. Entwurf einer Herrschaft* [1969], nouvelle édition revue et augmentée, Stuttgart, Deutsche Verlags-Anstalt, 1991.

Jaecker, 2005. Tobias Jaecker, *Antisemitische Verschwörungstheorien nach dem 11. September. Neue Varianten eines alten Deutungsmusters,* Münster, Lit Verlag, 2005.

Joly, 1987. Maurice Joly, *Dialogue aux enfers entre Machiavel et Montesquieu* [1864], Paris, Éditions Allia, 1987.

Jouin, 1920. Mgr Ernest Jouin [Prélat de Sa Sainteté, Curé de Saint-Augustin, Paris], *Le Péril judéo-maçonnique,* vol. I : *Les "Protocols" des Sages de Sion,* Paris, Revue Internationale des Sociétés Secrètes [R.I.S.S.] et Librairie Émile-Paul, octobre 1920.

Katz, 1980. Jacob Katz, *From Prejudice to Destruction : Anti-Semitism 1700-1933,* Cambridge, Mass., Harvard University Press, 1980.

Katz, 1986. J. Katz, *Wagner et la question juive* [1985], tr. fr. Pierre Rusch, Paris, Hachette, 1986.

Katz, 1995. J. Katz, *Juifs et francs-maçons en Europe 1723-1939* [1970], tr. fr. Sylvie Courtine-Denamy, Paris, Les Éditions du Cerf, 1995.

Kepel, 1984. Gilles Kepel, *Le Prophète et Pharaon. Les mouvements islamistes dans l'Égypte contemporaine,* préface de Bernard Lewis, Paris, La Découverte, 1984.

Kepel/Milelli, 2005. Gilles Kepel et Jean-Pierre Milelli (dir.), *Al-Qaida dans le texte,* tr. fr. J.-P. Milelli, Paris, PUF, 2005.

Knight, 2000. Peter Knight, *Conspiracy Culture : From the Kennedy Assassination to The X-Files,* Londres et New York, Routledge, 2000.

Küntzel, 2002. Matthias Küntzel, *Djihad*

und Judenhass. Über den neuen antisemitischen Krieg, Freiburg, Ça ira, 2002.

Küntzel, 2003. M. Küntzel, « Islamisme et nazisme, une explication », novembre 2003 ; http://www.matthiaskuentzel.de/contents/islamisme-et-nazisme-une-explication.

Küntzel, 2004. M. Küntzel, « Von Zeesen bis Beirut. Nationalsozialismus und Antisemitismus in der arabischen Welt », *in* Doran Rabinovici, Ulrich Speck und Natan Sznaider (Hgs.), *Neuer Antisemitismus ? Eine globale Debatte*, Frankfurt/M., Suhrkamp Verlag, 2004, pp. 271-293.

Lagrange, 1996. Pierre Lagrange, *La Rumeur de Roswell*, Paris, La Découverte, 1996.

Lambelin, 1925. *« Protocols » des Sages de Sion*, traduits directement du russe et précédés d'une introduction par Roger Lambelin, Paris, Bernard Grasset, 1921 ; 2e éd. augmentée, 1925.

Langmuir, 1990a. Gavin I. Langmuir, *Toward a Definition of Antisemitism*, Berkeley – Los Angeles – Oxford, University of California Press, 1990.

Langmuir, 1990b. G. I. Langmuir, *History, Religion, and Antisemitism*, Berkeley – Los Angeles – Oxford, University of California Press, 1990.

Laqueur, 1965. Walter Laqueur, *Deutschland und Russland*, tr. all. K. H. Abshagen, Berlin, Propyläen Verlag, 1965.

Laurant, 1993. Jean-Pierre Laurant, *L'Ésotérisme*, Paris, Les Éditions du Cerf, 1993.

Le Bon, 1895. Gustave Le Bon, *Psychologie des foules*, Paris, Félix Alcan, 1895.

Lebzelter, 1978. Gisela C. Lebzelter, *Political Anti-Semitism in England 1918-1939*, Londres, The Macmillan Press, et Oxford, St Anthony's College, 1978.

Le Forestier, 2001. René Le Forestier, *Les Illuminés de Bavière et la Franc-Maçonnerie allemande*, thèse de doctorat de la Faculté des Lettres de l'Université de Paris, 1914 (Paris, Hachette, 1915) ; reprint, Genève, 1974; réimpression, Milan, Archè, 2001.

Lemaire, 1985. Jacques Lemaire, *Les Origines françaises de l'antimaçonnisme (1744-1797)*, Bruxelles, Éditions de l'Université de Bruxelles, 1985.

Lemaire, 1998. J. Lemaire, *L'Antimaçonnisme. Aspects généraux (1738-1998)*, Paris, Éditions Maçonniques de France, 1998.

Leroy, 1992. Michel Leroy, *Le Mythe jésuite. De Béranger à Michelet*, Paris, PUF, 1992.

Leroy-Beaulieu, 1902. Anatole Leroy-Beaulieu, *Les Doctrines de haine. L'antisémitisme, l'antiprotestantisme, l'anticléricalisme*, Paris, Calmann-Lévy, 1902.

Le Tourneau, 2004. Dominique Le Tourneau, *L'Opus Dei* [1984], 6e éd., Paris, PUF, 2004.

Levy, 1975. Richard S. Levy, *The Downfall of the Anti-Semitic Political Parties in Imperial Germany*, New Haven et Londres, 1975.

Levy, 1995. R. S. Levy, traduction américaine et édition critique du livre de Binjamin W. Segel, *A Lie and a Libel : The History of the Protocols of the Elders of Zion*, Lincoln et Londres, University of Nebraska Press, 1995.

Lewis, 1987. Bernard Lewis, *Sémites et antisémites* [1986], tr. fr. Jacqueline Carnaud et Jacqueline Lahana, Paris, Fayard, 1987.

Lewis, 1994. B. Lewis, *The Shaping of the Modern Middle East*, New York, Oxford University Press, 1994.

Lincoln, 1998. Henry Lincoln, *La Clé du mystère de Rennes-le-Château* [1997], tr. fr. Hubert Tézenas, Paris, Éditions Pygmalion/Gérard Watelet, 1998.

Livre jaune n° 5. Voir Holey, 2001a.

Livre jaune n° 6. Voir Holey, 2001b.

Livre jaune n° 7. Voir Holey, 2004.

Lorulot, 1933. Lorulot (André) (éd.), *Les Secrets des Jésuites (Monita Secreta)*, préface par A. Lorulot [pp. 3-18], Herblay, Aux éditions de l'Idée Libre, 1933 [brochure,

La Documentation antireligieuse, n° 12, octobre 1933].

LOSEMANN, 1984. V. Losemann, « Rassenideologien und antisemitische Publizistik in Deutschland im 19. und 20. Jahrhundert », *in* T. Klein *et al.*, *Judentum und Antisemitismus von der Antike bis zur Gegenwart*, Düsseldorf, 1984, pp. 137-159.

MALYNSKI/PONCINS, 1940. Emmanuel Malynski, Léon de Poncins, *La Guerre occulte. Juifs et francs-maçons à la conquête du monde*, Paris, Beauchesne, 1936 ; nouvelle édition, hors-commerce, 1940.

MANOR, 2003. Yohanan Manor, *Les Manuels scolaires palestiniens. Une génération sacrifiée*, Paris, Berg International, 2003.

MARR, 1862. Wilhelm Marr, *Der Judenspiegel mit einem Vorwort*, Hambourg, [auto-édition], 1862.

MARR, 1879a. W. Marr, *Der Sieg des Judenthums über das Germanenthum. Vom nicht confessionnellen Standpunkt aus betrachtet*, Berne, Rudolph Costenoble, 1879 (6 éditions dans l'année).

MARR, 1879b. W. Marr, *Der Weg zum Siege des Germanenthums über das Judenthum*, Berlin, Hentze, 1879 (1880).

MARRUS/PAXTON, 1981. Michaël R. Marrus, Robert O. Paxton, *Vichy et les Juifs*, tr. fr. Marguerite Delmotte, Paris, Calmann-Lévy, 1981.

MARSDEN, 1921. *Protocols of the Learned Elders of Zion*, translated from the Russian Text by Victor E. Marsden, Londres, The Britons Publishing Society, 1921.

MASER, 1966. Werner Maser, *Hitlers Mein Kampf*, Munich und Esslinger, Bechtle Verlag, 1966.

MASER, 1968. W. Maser, *Mein Kampf d'Adolf Hitler*, tr. fr. André Vandevoorde, Paris, Plon, 1968.

MAYER, 1990. Arno J. Mayer, *La « Solution finale » dans l'histoire* [1988], tr. fr. Marie-Gabrielle et Jeannie Carlier, préface de Pierre Vidal-Naquet, Paris, La Découverte, 1990.

MEINING, 2004. Stefan Meining, « L'ésotérisme d'extrême droite. Aspects d'un phénomène de masse de la modernité » (tr. fr. Patrick Moreau), *in* Pierre Blaise et Patrick Moreau (dir.), *Extrême droite et national-populisme en Europe de l'Ouest. Analyse par pays et approches transversales*, Bruxelles, Centre de recherche et d'information socio-politiques (CRISP), 2004, pp. 513-529.

MERCIER, 2005. Anne-Sophie Mercier, *La Vérité sur Dieudonné*, Paris, Plon, 2005.

MEURIN, 1993. Mgr Léon Meurin, *La Franc-Maçonnerie, synagogue de Satan*, Paris, Victor Retaux et fils, 1893 ; réédition en fac-similé, Châteauneuf, Éditions Delacroix, s. d.

MEYSSAN, 2002a. Thierry Meyssan, *11 septembre 2001. L'Effroyable imposture. Aucun avion ne s'est écrasé sur le pentagone !*, Chatou (Yvelines), Éditions Carnot, 2002.

MEYSSAN, 2002b. T. Meyssan, *Le Pentagate*, Chatou (Yvelines), Éditions Carnot, 2002.

MEYSSAN, 2002c. T. Meyssan, « Qui a commandité les attentats du 11 septembre ? », conférence de T. Meyssan sous les auspices de la Ligue arabe, Abu Dhabi (Émirats arabes unis), 8 avril 2002, http://membres.lycos.fr/wotraceafg/meyssan.htm.

MOISAN, 1987. Jean-François Moisan, *Contribution à l'étude de matériaux littéraires pro- et antisémites en Grande-Bretagne (1870-1983) – Le mythe du complot juif – Les Protocoles des Sages de Sion – Le cas Disraëli*, thèse (non publiée), Faculté de Lettres et Sciences humaines, Université de Paris-Nord, 1987, 329 p.

MOISAN, 2004. J.-F. Moisan, « Les "Protocoles des Sages de Sion" en Grande-Bretagne et aux États-Unis », *in* Pierre-André Taguieff, 2004a, Annexe, pp. 385-417.

MONAST, 1994. Monast (Serge), *Le Gouvernement mondial de l'Antéchrist*, s. l., *Cahier d'Ouranos hors série*, coll. « Enquêtes-Études-Réflexions » de la Commission d'Études

Ouranos, s. d. [1994] ; rééd., Châteauneuf, Éditions Delacroix, s. d.

Morcos, 1962. Saad Morcos, *Juliette Adam*, Le Caire, Éditions Dar Al-Maaref, 1961 ; rééd., Beyrouth, Dar Al-Maaref, 1962.

Mosse, 1985. George L. Mosse, *Toward the Final Solution : A History of European Racism* [1978], Madison, Wisc., The University of Wisconsin Press, 1985.

Mühlen, 1977. Patrick von zur Mühlen, *Rassenideologien. Geschichte und Hintergründe*, Berlin et Bonn, 1977 (2e éd., 1979).

Neuberger, 2006. Benjamin Neuberger , « Les "Protocoles" à la mode du XXIe siècle », *Haaretz*, 27 mai 2006, tr. fr. Kol Shalom [« Les amis de Shalom Archav », Belgique], mis en ligne le 6 juin 2006.

Nilus, 1905. Serge Alexandrovitch Nilus, *Le Grand dans le Petit, et l'Antéchrist comme possibilité imminente. Écrits d'un orthodoxe*, 2e éd. revue et augmentée [comportant pour la première fois le texte des *Protocoles*], Tsarskoïe Selo, imprimerie de la Croix-Rouge, décembre 1905.

Nilus, 1917. Serge Alexandrovitch Nilus, *Il est tout près, à la porte… L'Antéchrist approche et le règne du Diable sur terre est proche*, Sergiev Posad, janvier 1917 [5e édition de l'essai *Le Grand dans le Petit* (1901), contenant la 4e édition de sa version des *Protocoles*; réimpression, Elektrostal [région de Moscou], Peresvet, 1996].

Nolte, 1961. Ernst Nolte, « Eine frühe Quelle zu Hitlers Antisemitismus », *Historische Zeitschrift*, Bd. 192, 1961, pp. 584-606.

Nolte, 1970. *E.* Nolte, *Der Faschismus in seiner Epoche*, Munich, Piper, 1963 ; tr. fr. Paul Stéphano : *Le Fascisme dans son époque*, Paris, Julliard, 1970, vol. 3 : *Le National-socialisme.*

Nolte, 2002. E. Nolte, *Les Fondements historiques du national-socialisme* [1998], tr. fr. Jean-Marie Argelès, Monaco, Éditions du Rocher, 2002.

Nova, 1986. Fritz Nova, *Alfred Rosenberg : Nazi Theorist of the Holocaust*, New York, Hippocrene Books, 1986.

Oz, 2005. Amos Oz, « Le diable est de retour », tr. fr. Florence Lévy-Paoloni, *Le Monde*, 4 octobre 2005, pp. 1 et 18.

Partner, 1992. Peter Partner, *Templiers, francs-maçons et sociétés secrètes* [1981], tr. fr. Marie-Louise Navarro, Paris, Éditions Pygmalion/Gérard Watelet, 1992.

Pasquier, 1602. Étienne Pasquier, *Le Catéchisme des Jésuites ou Examen de leur doctrine*, Villefranche, 1602.

Pauley, 1992. Bruce F. Pauley, *From Prejudice to Persecution : A History of Austrian Anti-Semitism*, Chapel Hill, 1992.

Pétré-Grenouilleau, 2004. Olivier Pétré-Grenouilleau, *Les Traites négrières. Essai d'histoire globale*, Paris, Gallimard, 2004.

Pfahl-Traughber, 2002. Armin Pfahl-Traughber, « "Bausteine" zu einer Theorie über "Verschwörungstheorien" : Definitionen, Erscheinungsformen, Funktionen und Ursachen », *in* Helmut Reinalter (Hg.), *Verschwörungstheorien. Theorie – Geschichte – Wirkung*, Innsbruck et Vienne, Studien Verlag, 2002, pp. 30-44.

Picknett/Prince, 1999. Lynn Picknett et Clive Prince, *La Révélation des Templiers. Les gardiens secrets de la véritable identité du Christ* [1997], tr. fr. Paul Couturiau, Monaco, Éditions du Rocher, 1999.

Pipes, 1997a. Daniel Pipes, *Conspiracy : How the Paranoid Style Flourishes and Where It Comes From*, New York, The Free Press, 1997.

Pipes, 1997b. D. Pipes, *The Hidden Hand : Middle East Fears of Conspiracy*, Londres, Macmillan, 1997.

Ploncard d'Assac, 1983. Jacques Ploncard d'Assac, *Le Secret des francs-maçons*, Chiré-en-Montreuil, Éditions de Chiré, 1979 ; 2e éd., 1983.

Ploncard d'Assac, 1988. J. Ploncard d'Assac, « Quand les tricheurs et les traîtres manipulent l'histoire » [1969], repris *in*

Cahiers de Chiré, n° 3, Chiré-en-Montreuil, Éditions de Chiré, 1988, pp. 215-223.

Pois, 1993. Robert A. Pois, *La Religion de la nature et le national-socialisme* [1986], tr. fr. Bernard Frumer et Jennifer Merchant, Paris, Les Éditions du Cerf, 1993.

Poliakov, 1968. Léon Poliakov, *Histoire de l'antisémitisme,* tome III : *De Voltaire à Wagner,* Paris, Calmann-Lévy, 1968.

Poliakov, 1971. L. Poliakov, *Le Mythe aryen. Essai sur les sources du racisme et des nationalismes,* Paris, Calmann-Lévy, 1971.

Poliakov, 1977. L. Poliakov, *Histoire de l'antisémitisme,* t. IV : *L'Europe suicidaire 1870-1933,* Paris, Calmann-Lévy, 1977.

Poliakov, 1980. L. Poliakov, *La Causalité diabolique. Essai sur l'origine des persécutions,* Paris, Calmann-Lévy, 1980.

Poliakov, 1985. L. Poliakov, *La Causalité diabolique,* t. II : *Du joug mongol à la victoire de Lénine 1250-1920,* Paris, Calmann-Lévy, 1985.

Poliakov, 2006. L. Poliakov, *La Causalité diabolique,* nouvelle édition en un volume, préface de Pierre-André Taguieff, Paris, Calmann-Lévy/Mémorial de la Shoah, 2006.

Poliakov/Wulf, 1959. Léon Poliakov et Joseph Wulf, *Le IIIe Reich et les Juifs* [1955], tr. fr. avec le concours du C.D.J.C., Paris, Gallimard, 1959.

Politzer, 1947. Georges Politzer, *Révolution et contre-révolution au XXe siècle. Réponse à « Or et Sang » de M. Rosenberg* [1941], Paris, Éditions sociales, 1947.

Poncins, 1932. Léon de Poncins, *Les Juifs maîtres du monde,* Paris, Éditions Bossard, 1932.

Poncins, 1936. L. de Poncins, *La Mystérieuse Internationale juive,* Paris, Beauchesne, 1936.

Poncins, 1975. L. de Poncins, *La Franc-Maçonnerie d'après ses documents secrets* [1934], 5e édition, Chiré-en-Montreuil, Éditions de Chiré, 1975.

Poncins, 1994. L. de Poncins, *The Secret Powers Behind Revolution,* Londres, Boswell, 1929 [tr. anglaise de : L. de Poncins, *Les Forces secrètes de la Révolution. Franc-Maçonnerie-Judaïsme,* Paris, Éditions Bossard, 1928] ; *reprint,* sous le titre : *Freemasonry & Judaism : Secret Powers Behind Revolution,* Brooklyn, New York, A & B Books Publishers [maison d'édition de The Nation of Islam], 1994.

Popper, 1979. Karl R. Popper, *La Société ouverte et ses ennemis* [1945], tr. fr. Jacqueline Bernard et Philippe Monod, Paris, Le Seuil, 1979, 2 vol.

Popper, 1985. K. R. Popper, *Conjectures et réfutations. La croissance du savoir scientifique* [1963, 1972], tr. fr. Michelle-Irène et Marc B. de Launay, Paris, Payot, 1985.

Poulat, 1992. Émile Poulat, « L'esprit du complot », *Politica Hermetica,* n° 6, 1992, pp. 6-12.

Queenborough, 1975. Edith Starr Miller, Lady Queenborough, *Occult Theocrasy,* Abbeville, F. Paillart, 1933, 2 vol. ; rééd., Los Angeles, CA, The Christian Book Club of America, s. d. [1975], 1 vol.

Quinchon-Caudal, 2005. Anne Quinchon-Caudal, *« Ceci est* ton *sang » : l'anthropologie nationale-socialiste entre mysticisme et science aryenne,* thèse pour le doctorat (dir. Gilbert Merlio), Université Paris IV-Sorbonne, discipline : « Études germaniques », 2005.

Ramsay, 2000. Robin Ramsay, *Conspiracy Theories,* Harpenden (G.-B.), Pocket Essentials, 2000.

Reinalter, 2002. Helmut Reinalter (Hg.), *Verschwörungstheorien. Theorie –Geschichte – Wirkung,* Innsbruck, Studien Verlag, 2002.

Renard, 2002a. Jean-Bruno Renard, *Rumeurs et légendes urbaines,* 2e éd., Paris, PUF, 2002.

Renard, 2002b. J.-B. Renard, « La communication par Internet : une nouvelle culture ? », *in* Carlo Mongardini (a cura di), *La Civiltà della communicazione globale*, Rome, Bulzoni Editore, 2002, pp. 127-136.

Renard, 2006. J.-B. Renard, « Les rumeurs négatrices », *Diogène*, n° 213, janvier-mars 2006, pp. 54-73.

Réseau Voltaire, 2006. « Cauchemar américain. Skull and Bones, l'élite de l'Empire » (sur l'ouvrage d'A. Robbins, 2005), voltairenet.org, 13 janvier 2006.

Robbins, 2005. Alexandra Robbins, *Skull & Bones. La vérité sur l'élite secrète qui dirige les États-Unis* [...], tr. fr. Bruno Drweski avec Gaétane Vallifuoco, Paris, Max Millo, 2005.

Roberts, 1979. John M. Roberts, *La Mythologie des sociétés secrètes* [1972], tr. fr. Catherine Butel, Paris, Payot, 1979.

Robison, 1967. John Robison, *Proofs of a Conspiracy Against all the Religions and Governments of Europe, carried on in the Secret Meetings of Free Masons, Illuminati, and Reading Societies*, Edinburgh, 1797 ; fourth edition with postscript (1798) ; réimpression, Boston, Western Islands, 1967.

Rodinson, 1981. Maxime Rodinson, « Quelques idées simples sur l'antisémitisme », *Revue d'études palestiniennes*, n° 1, automne 1981, pp. 5-21.

Rogalla von Bieberstein, 1976. Johannes Rogalla von Bieberstein, *Die These von der Verschwörung 1776-1945. Philosophen, Freimaurer, Juden, Liberale und Sozialisten als Verschwörer gegen die Sozialordnung*, Berne, Herbert Lang, et Frankfurt/M., Peter Lang, 1976 ; 2e éd., 1978.

Rogalla von Bieberstein, 1977. J. Rogalla von Bieberstein, « The Story of the Jewish-Masonic Conspiracy, 1776-1945 », *Patterns of Prejudice*, vol. 11, n° 6, novembre-décembre 1977, pp. 1-8, 21.

Rogalla von Bieberstein, 2002. J. Rogalla von Bieberstein, « Zur Geschichte der Verschwörungstheorien », *in* Helmut Reinalter (Hg.), *Verschwörungstheorien. Theorie – Geschichte – Wirkung*, Innsbruck, Studien Verlag, 2002, pp. 15-29.

Rollin, 1939. Henri Rollin, *L'Apocalypse de notre temps.* Les dessous de la propagande allemande d'après des documents inédits, Paris, Gallimard, 1939.

Rollin, 1991. H. Rollin, *L'Apocalypse de notre temps*, nouvelle édition (augmentée d'un index), Paris, Éditions Allia, 1991.

Rosenberg, 1923. Alfred Rosenberg, *Die Protokolle der Weisen von Zion und die jüdische Weltpolitik*, Munich, Deutscher Volksverlag, Dr E. Boepple, 1923.

Rosenberg, 1935. A. Rosenberg, *Der Mythus des 20. Jahrhunderts* [1930], 63/66e éd., Munich, Hohenheichen-Verlag, 1935.

Rosenberg, 1986. A. Rosenberg, *Le Mythe du XXe siècle*, tr. fr. Adler von Scholle, Paris, Avalon, 1986.

Rürup, 1975. Reinhard Rürup, *Emanzipation und Antisemitismus. Studien zur « Judenfrage » der bürgerlichen Gesellschaft*, Göttingen, Vandenhoeck & Ruprecht, 1975.

Schickedanz, 1927. Arno Schickedanz, *Das Judentum, eine Gegenrasse*, Leipzig, Weicher, 1927.

Scholz, 1993. Dieter David Scholz, *Richard Wagners Antisemitismus*, Würzburg, Königshausen & Neumann, 1993.

Sède, 1988. Gérard de Sède, *Rennes-le-Château. Le dossier, les impostures, les phantasmes, les hypothèses*, Paris, Robert Laffont, 1988.

Segel, 1995. Binjamin W. Segel, *A Lie and a Libel : The History of the Protocols of the Elders of Zion* [1926], traduction américaine et édition critique par Richard S. Levy, Lincoln et Londres, University of Nebraska Press, 1995.

Signier, 2005. Jean-François Signier (dir.), en collaboration avec Renaud Thomazo, *Les Sociétés secrètes*, Paris, Larousse, 2005.

Singh, 1997. Robert Singh, *The Farrakhan Phenomenon : Race, Reaction, and the Para-*

noid Style in American Politics, Washington, Georgetown University Press, 1997.

Smoot, 1977. Dan Smoot, *The Invisible Government* [1962], Americanist Library, Boston and Los Angeles, Western Islands, 1965; 2d ed., Boston, Western Islands, 1977.

Stoczkowski, 1999. Wiktor Stoczkowski, *Des hommes, des dieux et des extraterrestres. Ethnologie d'une croyance moderne*, Paris, Flammarion, 1999.

Sutton, 1986. Antony C. Sutton, *America's Secret Establishment : An Introduction to the Order of Skull and Bones* [1976], Billings, Montana, Liberty House Press, 1986.

Tabary, 1998. Serge Tabary, *Theodor Fritsch (1852-1933) : le « Vieux Maître » de l'antisémitisme allemand*, thèse pour le doctorat (dir. Louis Dupeux), Université Robert Schuman, Strasbourg 3, 1998.

Tabary, 2000. S. Tabary, « De l'antijudaïsme religieux à l'antisémitisme politique », *Revue d'Allemagne et des pays de langue allemande*, 32 (2), avril-juin 2000, pp. 177-188.

Taguieff, 1992. Pierre-André Taguieff, *Les Protocoles des Sages de Sion. Faux et usages d'un faux*, Paris, Berg International, 1992, 2 vol. : t. I. *Un faux et ses usages dans le siècle*; (dir.), t. II. *Études et documents.*

Taguieff, 2002a. P.-A. Taguieff, *La Nouvelle Judéophobie*, Paris, Mille et une nuits, 2002.

Taguieff, 2002b. P.-A. Taguieff, *La Couleur et le Sang. Doctrines racistes à la française* [1998], nouvelle édition revue et augmentée, Paris, Mille et une nuits, 2002.

Taguieff, 2002c. P.-A. Taguieff, *L'Illusion populiste*, Paris, Berg International, 2002.

Taguieff, 2004a. P.-A. Taguieff, *Les Protocoles des Sages de Sion. Faux et usages d'un faux*, nouvelle édition refondue [du tome I de la première édition, 1992], Paris, Berg International/Fayard, 2004.

Taguieff, 2004b. P.-A. Taguieff, *Prêcheurs de haine. Traversée de la judéophobie planétaire*, Paris, Mille et une nuits, 2004, pp. 615-817.

Taguieff, 2005. P.-A. Taguieff, *La Foire aux « Illuminés ». Ésotérisme, théorie du complot, extrémisme*, Paris, Mille et une nuits, 2005.

Taïeb, 2006. Emmanuel Taïeb, « La "rumeur" des journalistes », *Diogène*, n° 213, janvier-mars 2006, pp. 133-152.

Talmeyr, 1904. Maurice Talmeyr, *La Franc-Maçonnerie et la Révolution française*, Paris, Perrin, 1904 (reprint, Paris, Éditions du Trident, 1988).

The Nation of Islam, 1991. The Nation of Islam (The Historical Research Department), *The Secret Relationship Between Blacks and Jews*, Volume One, Boston, MA, 1991; 4e réimpression, 1994.

Thion, 1980. Serge Thion, *Vérité historique ou vérité politique ? Le dossier de l'affaire Faurisson. La question des chambres à gaz*, Paris, La Vieille Taupe, 1980.

Traverso, 2002. Enzo Traverso, *La Violence nazie, une généalogie européenne*, Paris, La Fabrique-éditions, 2002.

Tsigelman, 1984. Yaakov Tsigelman, « "The Universal Jewish Conspiracy" in Soviet Anti-Semitic Propaganda », *in* Theodore Freedman (ed.), *Anti-Semitism in the Soviet Union : Its Roots and Consequences*, New York, Freedom Library Press of the Anti-Defamation League of B'nai B'rith, 1984, pp. 394-421.

Urfalino, 2005. Philippe Urfalino, *Le Grand méchant loup pharmaceutique*, entretien avec Bertrand Richard, Paris, Textuel, 2005.

Vankin, 2001. Jonathan Vankin and John Whalen, *The 50 Greatest Conspiracies of All Time : History's Biggest Mysteries, Coverups, and Cabals*, New York, Citadel Press, 1995; édition mise à jour : *The 60 Greatest Conspiracies...*, 1998; nvelle édition revue, mise à jour et augmentée : *The 70 Greatest...*, 2001.

VENNER, 2002. Fiammetta Venner, *L'Effroyable imposteur. Quelques vérités sur Thierry Meyssan*, Paris, Grasset, 2005.

VITKINE, 2005. Antoine Vitkine, *Les Nouveaux imposteurs*, Paris, Doc en Stock/Éditions de La Martinière, 2005.

WEBB, 1981. James Webb, *The Occult Establishment*, LaSalle, Ill., Open Court Publishing Company, 1976; 2e éd., Glasgow, Richard Drew Publishing, 1981.

WEBER, 1964. Eugen Weber, *Satan franc-maçon. La mystification de Léo Taxil*, Paris, Julliard, 1964.

WEBSTER, 1964. Nesta H. Webster, *Secret Societies and Subversive Movements*, Londres, Boswell Publishing Co., 1924; 8e éd., Londres, Britons Publishing Company, 1964.

WEISS, 1996. John Weiss, *Ideology of Death : Why the Holocaust Happened in Germany*, Chicago, Ivan R. Dee, 1996.

WICHTL, 1919. Friedrich Wichtl, *Weltfreimaurerei, Weltrevolution, Weltrepublik. Eine Untersuchung über Ursprung und Endziele des Welkrieges*, Munich, J.-F. Lehmann, 1919 (7e éd., 1920).

WISTRICH, 1982. Robert S. Wistrich, *Socialism and the Jews : The Dilemmas of Assimilation in Germany and Austria-Hungary*, East Brunswick, Londres et Toronto, Associated University Press, 1982.

WISTRICH, 1991. R. S. Wistrich, *Antisemitism : The Longuest Hatred*, New York, Pantheon, 1991.

WISTRICH, 2003. R. S. Wistrich (ed.), *Demonizing the Other : Antisemitism, Racism, and Xenophobia* [1999], Londres et New York, Routledge, 2003.

WISTRICH, 2004. R. S. Wistrich, « L'antisémitisme musulman : un danger très actuel » [2002], tr. fr. Claire Darmon, *Revue d'histoire de la Shoah*, n° 180, janvier-juin 2004, pp. 16-61.

WISTRICH, 2005. R. S.Wistrich, *Hitler and the Holocaust*, Londres, Weidenfeld & Nicolson, 2001 ; tr. fr. Jean-Fabien Spitz : *Hitler, l'Europe et la Shoah*, Paris, Albin Michel, 2005.

WOLF, 1920. Lucien Wolf, *The Jewish Bogey and the Forged Protocols of the Learned Elders of Zion*, Londres, Press Committee of the Jewish Board of Deputies, 1920.

ZENTNER, 1974. *Adolf Hitlers Mein Kampf. Ein kommentierte Auswahl von Christian Zentner*, Munich, Paul List Verlag, 1974.

ZIEGLER, 2002. Jean Ziegler, *Les Nouveaux Maîtres du monde et ceux qui leur résistent*, Paris, Fayard, 2002.

ZIMMERMANN, 1986. Moshe Zimmermann, *Wilhelm Marr : The Patriarch of Anti-Semitism*, New York et Oxford, Oxford University Press, 1986.

Autres références

EISNER Will, *The Plot : The Secret Story of Protocols of the Elders of Zion*, introduction by Umberto Eco, New York et Londres, W. W. Norton & Company, 2005 (bande dessinée) ; tr. fr. Pierre-Emmanuel Dauzat : *Le Complot*, Paris, Grasset, 2005.

LEVIN Marc, *Protocols of Zion*, film documentaire, États-Unis, 2004; titre français : *Les Protocoles de la rumeur* (sortie nationale : 23 novembre 2005). DVD, Éditions Montparnasse, octobre 2006 (Bonus comportant notamment des séquences réalisées par Marc Levin non reprises dans son film, ainsi qu'un entretien de 52mn avec Pierre-André Taguieff, comprenant des documents d'archives, film réalisé par Quélou Parente).

Les Petits Libres
Dans la même collection

Guy Konopnicki
Manuel de survie au Front
n° 17, 80 pages

Vincent Duclert
L'Histoire contre l'extrême-droite
Les grands textes d'un combat français
n° 45, 128 pages

René Passet
Une économie de rêve !
« La planète folle »
n° 47, 144 pages

Jacques Testart
Réflexions pour un monde vivable
Propositions de la Commission française du développement durable (2000-2003)
n° 50, 128 pages

Serge Latouche
Survivre au développement
De la décolonisation de l'imaginaire économique à la construction d'une société alternative
n° 55, 128 pages

François Flahault
Le Paradoxe de Robinson
Capitalisme et société
n° 59, 176 pages

André Bellon, Irène Fauconnier, Jérémy Mercier, Henri Pena-Ruiz
Mémento du républicain
n° 62, 112 pages

Achevé d'imprimer en janvier 2007
par Liber Duplex (Barcelone, Espagne)
N° d'édition : 84012
49.2720.02.8

Table des matières